DRAGON ROUGE

ABONNEMENT / RÉABONNEMENT 2011

Je souhaite m'abonner aux collections suivantes

Merci de nous préciser à partir de quel numéro vous vous abonnez

☐ **BLADE**
6 titres par an - 46,00 € port inclus

☐ **BRIGADE MONDAINE**
12 titres par an - 76,00 € port inclus

☐ **GUY DES CARS**
6 titres par an - 50,00 € port inclus

☐ **L'EXÉCUTEUR**
12 titres par an - 76,00 € port inclus

☐ **POLICE DES MŒURS**
12 titres par an - 76,00 € port inclus

Paiement par chèque à l'ordre de :
GECEP
15, chemin des Courtilles - 92600 Asnières

☐ **S.A.S.**
4 titres par an - 36,40 € port inclus

Paiement par chèque à l'ordre de :
ÉDITIONS GÉRARD DE VILLIERS
14, rue Léonce Reynaud - 75116 Paris

frais de port et remise 5 % **inclus** dans ces tarifs
port Europe (par vol = 3,50 €)

Nom : .... Prénom : ....

Adresse : ....

....

Code postal : .... Ville : ....

DU MÊME AUTEUR

(* titres épuisés)

GÉRARD DE VILLIERS

DRAGON ROUGE

Tome I

Éditions Gérard de Villiers

Photographe : Patrick CARPENTIER
Maquillage : Laura MERLE
Modèle : Parisa
Armurerie : Répliques prêtées par CYBERGUN STORE
121, rue Legendre
75017 Paris

© Éditions Gérard de Villiers, 2011

ISBN 978-2-360-53-0137

CHAPITRE PREMIER

Le taxi s'arrêta pile devant l'escalator flanqué de quatre énormes ascenseurs transparents menant à la salle des départs du Terminal 3 de l'aéroport international de Pékin.

– Cela fait 100 yuans avec le péage, annonça le chauffeur.

Il avait chargé Lou Zhao au pied de son appartement à « *Sun City* », dans le quartier de Chao Yang Men au croisement entre Xin Zhong Lu et la route nord du Stade des ouvriers, une luxueuse résidence protégée par des vigiles où se regroupaient les Chinois ayant un salaire élevé et des goûts de luxe. Ce qui était le cas de Lou Zhao. Capitaine dans l'Armée Populaire de Libération, championne de tir, avec un diplôme d'ingénieur, elle avait abandonné son grade et son uniforme lorsque la société britannique Rolls-Royce, qui vendait beaucoup de moteurs et de turbines en Chine, et dont les bureaux se trouvaient derrière l'hôtel Kempinski, juste après un petit canal, près du troisième périphérique, lui avait offert un pont d'or pour devenir consultant et faciliter les rapports entre la société et ses clients chinois, souvent dans l'industrie militaire.

Aussi, une fois par mois, Lou Zhao se rendait à Tokyo où se trouvait le centre nerveux de Rolls-Royce pour l'Asie.

Elle devait cette opportunité à son anglais parfait et à sa volonté de s'enrichir comme avait préconisé le président Deng Tsiao Ping, quelques années plus tôt.

Fouillant dans son sac, elle tendit au chauffeur un billet de cent yuans, et un de dix.

— Merci, dit-elle, tu as été vite.

Elle avait hâte de quitter le taxi qui empestait le tabac froid. Les chauffeurs de taxi n'avaient pas le droit de fumer pendant les courses, mais s'en donnaient à cœur joie durant les arrêts. A Pékin, c'étaient les rois. Ils n'hésitaient pas à violer allègrement le code de la route en roulant sur la bande d'arrêt d'urgence et n'étaient jamais victimes d'un contrôle d'alcoolémie, fréquents pour les automobilistes « ordinaires », à partir du troisième périphérique vers le centre.

Lou Zhao rentra sa pince à billets. L'avantage, c'est qu'en Chine il n'y avait plus de pièces depuis longtemps. Elle empoigna sa valise à roulettes et se dirigea vers l'escalator, gardé par un *guobao*[1]. La valise passa sur le tapis roulant et elle, sous le portail

---

1. Policier.

magnétique, avant de s'engager dans l'immense escalator.

Les Chinois étaient des maniaques de la sécurité. Même dans les stations de métro, on scannait les bagages…

Lorsque la jeune femme déboucha dans la salle d'embarquement du Terminal 3, à la longueur interminable elle fut éblouie, comme toujours, par sa propreté : on aurait pu manger par terre ! Inauguré en 2008, pour les Jeux Olympiques, il était ultramoderne, fait de verre et d'acier, avec un étrange toit rouge – couleur du bonheur en Chine – en forme de carapace de tortue.

La Chinoise regarda sa montre : 7 heures 30. Elle était en avance, mais avait toujours peur de rater son avion à cause des embouteillages monstrueux de Pékin. Depuis qu'elle était riche, elle n'avait plus envie de prendre l'« Airport Express Train », un métro automatisé qui, à partir de la station Sanuyanquao, ne mettait que dix-huit minutes.

Par prudence, elle vérifia le tableau d'affichage des départs. Le vol 181 de la China Airline pour Tokyo Narita était bien prévu à 8 h 40. Le hall grouillait de monde : de plus en plus de Chinois se rendaient à l'étranger.

Un peu partout, veillaient des *guabao*, chiens de garde du régime. Un walkie-talkie à la main, entièrement vêtus de noir, le regard sans cesse en mouvement, ils veillaient à signaler le moindre comportement suspect.

Lou Zhao hésita : elle n'avait pas envie de poireauter dans la salle de départ. Après avoir balancé entre un restaurant chinois assez chic, dont les tables étaient délimitées par un cordon de velours rouge et le « Starbuck Coffee », elle choisit ce dernier et commanda un « Latte ».

C'était du dernier chic, quoique à un prix exorbitant pour la Chine : 31 yuans [1].

La queue s'allongeait déjà devant le comptoir 3 E. Tous les vols étaient bourrés.

La Chinoise se détendit ; elle avait hâte d'être à Tokyo, cette fois pour d'autres raisons que les habituelles conférences marketing.

**

Chen Boda, agent du Guoanbu depuis seize ans, travaillait dans les locaux du quatrième bureau situés à Lumintong Hontong, à l'est de la ville. Ce bureau de « Soutien technique » était chargé des écoutes dans Pékin Intramuros.

Normalement, c'était le rôle du Gonganbu, le service de sécurité intérieure, mais comme il s'agissait de contre-espionnage, le Guoanbu s'était approprié la tâche.

Des milliers de personnes étaient écoutées en permanence à Pékin, et pas seulement des étrangers : tous ceux qui pourraient éventuellement

1. Environ 3 euros.

dévier de la ligne du parti. Une toile d'araignée invisible et efficace. Lorsqu'on construisait un nouveau logement, on installait *toujours* un système d'écoute qui pouvait être activé à la demande.

A côté du Guoanbu, le KGB était un enfant de chœur.

Chen Boda était arrivé à sept heures au bureau et s'était mis à son travail de décryptage. Il avait pris du retard la veille. Chaque agent avait la charge de cinq « clients ». Un travail fastidieux. La plupart des conversations écoutées n'avaient aucun intérêt.

Le Chinois enclencha son magnétophone avec une bande qui avait recueilli la conversation du « client » Nº 278. Il ignorait qui il écoutait. Seul, son chef, Wang Jun, le responsable du Centre, pouvait identifier les gens grâce à un listing secret.

Chen Boda, un stylo en main, alluma une cigarette et démarra la bande. Le son était recueilli par des micros dissimulés dans le système d'air conditionné de l'appartement de la « cible ».

Il reconnut une voix de femme et celle d'un homme. Visiblement, ce dernier était en visite.

Les « écoutés » dînaient, ponctuant leur repas de remarques banales. Ensuite, la conversation prit un ton plus intime. Ils avaient changé de pièce.

Bientôt, il n'y eut plus que des soupirs, de petits cris, des exclamations de plaisir : visiblement, ils faisaient l'amour.

C'était un des rares côtés agréables de ce métier fastidieux. Parfois les gens parlaient en s'accouplant et il arrivait à Chen Boda d'avoir une érection.

Hélas, ces « clients-là » étaient muets, à part quelques cris et des soupirs.

En plus, cela ne dura pas longtemps…

Ensuite, ils retournèrent dans la pièce à côté et Chen Boda entendit l'homme demander :

– Tu as du cognac ?

La boisson de luxe des Chinois.

Elle en avait et ils commencèrent à boire. Visiblement, l'homme buvait plus que la femme. Cela dura assez longtemps et sa diction devenait de plus en plus embrouillée.

Chen Boda écoutait d'une oreille distraite quand une phrase le fit sursauter. L'homme disait :

– Je vais te confier un secret, mais tu ne dois en parler à *personne*.

Il avait appuyé sur le mot « personne » et, en dépit de sa voix pâteuse, était parfaitement intelligible.

– Si tu veux ! répondit la femme, d'un ton léger.

L'homme baissa la voix.

– La Chine va retrouver son honneur !

– Son honneur ?

– Oui. Le Grand Timonier avait juré de récupérer tout le territoire chinois. Il est mort avant d'avoir réussi.

– Mais toute la Chine est unie, objecta la femme.

– Sans Taiwan ! Il y a des gens qui ne veulent pas mourir sans avoir vu notre drapeau flotter sur Taipeh [1].

– Le président Hu Jin Tao ne semble pas s'en préoccuper, remarqua la femme d'un ton égal.

– C'est pourquoi d'autres ont pris le problème en main. Bientôt, tu entendras parler de l'opération *Dragon Rouge*. C'est prévu pour octobre. Nous allons envahir Taiwan.

Il y eut un long silence, puis l'homme rota et soupira.

– Je n'aurais pas dû t'en parler. Tu vas garder le secret ?

– Oui, bien sûr.

– Bon, je vais aller me coucher. Aide-moi.

Le reste de la conversation n'avait aucun intérêt.

Chen Boda réécouta quatre fois le dialogue, puis l'imprima et monta au troisième étage où se trouvait Wang Jun, le patron du Centre.

– Il faudrait traiter d'urgence cette interception, annonça-t-il d'une voix égale. Elle me semble inté-ressante.

Il sortit sans en dire plus, laissant la transcription sur la table.

Wang Jun la lut et sentit son pouls s'envoler. C'était de la dynamite ! Une atteinte délibérée à la ligne du Parti. Même si ce n'était qu'un propos d'ivrogne, il fallait vérifier. Fiévreusement, il

1. Capitale de Taïwan.

chercha dans son ordinateur à qui correspondait le dossier 278.

C'était celui d'un ex-capitaine de l'APL, Lou Zhao, désormais dans le civil, après un parcours impeccable dans l'armée. Il n'avait pas le moyen d'identifier l'homme. De toutes façons, l'exploitation des écoutes ne faisait pas partie de sa mission.

Il réfléchit longuement. Normalement, il aurait dû passer par la voie hiérarchique, mais l'importance de cette conversation méritait une mesure spéciale.

Une personne était particulièrement indiquée : Zhou Yong Kang, le Nº 3 du Régime et coordinateur des Services, après avoir dirigé le Gonganbu. Bien entendu, Wang Jun ne l'avait jamais rencontré. Il chercha dans son annuaire du Guoanbu la ligne directe du dignitaire et appela. La voix impersonnelle d'une secrétaire répondit.

Wang Jun annonça, après s'être fait connaître :

– Je vous faxe un document qui doit rester secret.

Il disposait d'un fax crypté pour ce genre d'envoi. La secrétaire remercia froidement et il raccrocha. Se disant que, peut-être, si c'était vraiment une affaire importante, Zhou Yong Kang se souviendrait de lui.

***

Lou Zhao allait se lever, après avoir réglé son « Latte », quand elle vit bouger les caractères du tableau des départs. Le vol China Airline pour Tokyo était retardé d'une demi-heure !

Elle n'avait plus qu'à prendre son mal en patience.

Un journal gratuit traînait sur la table voisine et elle s'en empara. La lecture de la presse n'était guère attrayante. Toutes les nouvelles « intéressantes » étant férocement censurées. C'est sur le net qu'il fallait aller.

Zhou Yong Kang avait lu la transcription et compris immédiatement son importance. Avant même d'aller plus loin, il tapa le nom de la locataire de l'appartement, Lou Zhao.

Elle était fichée au Guoanbu, comme tous les Chinois travaillant pour les étrangers et avait un dossier régulièrement mis à jour. C'est ainsi qu'il découvrit que l'homme qui avait mentionné cette opération « *Dragon Rouge* » devait être l'amant de Lou Zhao, le général Li Xiao Peng, fils de l'ancien Premier ministre, Li Peng.

Ce qui rendait l'affaire plus délicate : Li Xiao Peng était un « Prince Rouge », c'est-à-dire descendant d'un des fondateurs de la Chine. Les « Princes Rouges » accaparaient les postes éminents dans l'armée et le business.

Et, en plus, ils étaient intouchables…

Pas comme Lou Zhao.

Immédiatement, il appela le chef des interventions, qui suivait de plus près que lui les agissements des « suspects ».

– Il faudrait s'assurer de la personne possédant le dossier 278, annonça-t-il. Quand ce sera fait, prévenez-moi.

Il raccrocha et se plongea dans ses parapheurs.

La ligne rouge sonna moins de dix minutes plus tard. C'était son interlocuteur, qui respectueusement, annonça :

– Le N° 278 ne se trouve pas chez lui. Elle part pour Tokyo ce matin, par le vol China Airline N° 181.

Zhou Yong Kang sentit une coulée glaciale le long de sa colonne vertébrale. Ce départ changeait tout. Il n'était pas question de laisser sortir de Chine la personne détentrice d'un tel secret.

– Envoyez immédiatement des gens à l'aéroport, ordonna-t-il, et arrêtez-la.

– Et si l'avion est déjà parti ?

– Allez à la tour de contrôle et faites-le revenir. Si vous avez un problème, appelez-moi.

En Chine, le Parti était tout-puissant. Il s'agissait de la Sécurité Nationale. Zhou Yong Kang se remit à ses parapheurs, tranquille. Bientôt, cette Lou Zhao se retrouverait dans une salle d'interrogatoire et on connaîtrait le fin mot de l'histoire.

*
* *

Lou Zhao en avait assez d'être assise. Elle se leva, se dirigea vers la longue queue qui s'allongeait devant le comptoir du vol pour Tokyo et prit sa place dans la queue.

Dix minutes plus tard, elle n'avait pas avancé d'un mètre ! Elle réalisa soudain qu'avec sa carte de l'APL [1] elle pouvait passer devant tout le monde et déboîta de la queue, remontant jusqu'au comptoir d'enregistrement.

Les Chinois, étant habitués aux passe-droits de toutes sortes, ne bronchèrent pas. Les deux employées de l'enregistrement étaient prises. Sa carte de l'APL à la main, Lou Zhao attendit.

Balayant le hall du regard, elle vit soudain deux hommes émerger de l'escalator. Des clones, vêtus de costumes sombres, le visage inexpressif.

Le cœur de Lou Zhao se contracta : ce ne pouvait être que des agents du Guoanbu. Elle les aurait sentis à des kilomètres ! Les deux hommes s'arrêtèrent quelques instants devant le tableau d'affichage des départs et se dirigèrent, sans hésiter, vers l'enregistrement du vol CA 181.

Lou Zhao demeura quelques secondes tétanisée, essayant de se persuader que ces agents ne venaient pas pour elle. Puis, elle se souvint de la conversation

1. Armée Populaire de Libération.

avec son amant. Bien sûr, elle et lui étaient seuls, mais la Chinoise connaissait trop bien les méthodes du Guoanbu qui truffait toute la ville de micros…

Les deux hommes avançaient lentement le long de la queue, scrutant avec soin les visages de toutes les femmes.

La voix de l'employée de la China Airline demanda :

– Que voulez-vous ?

Lou Zhao eut une inspiration fulgurante.

– Le vol pour Manille, s'il vous plaît ?

– Embarquement 3 S.

En même temps, elle lui désignait la direction du doigt. Lou Zhao s'éloigna sans se retourner, s'attendant à chaque seconde à un appel, mais rien ne vint. Elle arriva devant le comptoir 3 S, se mit quelques instants dans la queue, puis, sans se presser, comprimant les battements de son cœur, s'éloigna vers l'escalator. Elle ne respira mieux qu'à mi-parcours. Dès qu'elle eut atteint le niveau – 1, elle prit à gauche, suivant le souterrain pollué par les gaz d'échappement des taxis. Cinq minutes plus tard, elle atteignait la tête de la file. Un vigile en uniforme, avec un bâton lumineux orange et un dossard jaune fluo, indiquait à un taxi d'avancer quand un client se présentait.

Lou Zhao se retrouva dans une Hyundai, au bas de caisse jaune comme tous les taxis de Pékin, le haut bariolé de vert et de bleu.

– A la gare centrale ! ordonna Lou Zhao avant de se laisser aller sur son siège, hébétée, regardant sans la voir une pub pour un cabinet de chirurgie esthétique, représentant une jeune Occidentale à la poitrine opulente, l'air blasé, dans une robe de soie rouge. Dessous, il y avait un numéro en grosses lettres et le slogan « Devenez aussi belle qu'un papillon ».

La Chinoise était sonnée. Bien sûr, depuis qu'elle avait accepté d'être une « source » de la CIA sous le nom de code « Rising Sun », moyennant de confortables émoluments, elle savait que ce genre de chose pouvait arriver. Seulement, la réalité était brutale…

Elle chercha à se rappeler les consignes qu'on lui avait données, en cas de malheur, et prit une première précaution. Sortant son portable, elle l'ouvrit, ôta la batterie et la mit à part dans son sac. Même le portable fermé, on pouvait la localiser si la batterie était active.

Ensuite, elle tenta de se détendre. Que faire désormais ? D'abord, quitter Pékin. Elle savait pouvoir, éventuellement, trouver de l'aide à Shanghai.

Quarante minutes plus tard, le chauffeur l'arrêtait devant la gare Centrale et annonça :

– C'est quatre-vingts yuans, avec le péage.

Lou Zhao paya et descendit. Cette gare était réservée aux « pauvres ». Ici, pas de trains rapides, seulement des trains conventionnels et plus lents. Moins chers aussi.

La Chinoise passa sa valise dans le scanner, au pied de l'escalator, mais il n'y avait personne pour manipuler le détecteur de métaux. Ensuite, elle gagna le hall de la gare, puis redescendit aussitôt, se dirigeant vers les taxis. Elle s'installa dans le premier de la file.

– *Beijing Nan Zhan*[1], demanda-t-elle.

Vingt minutes plus tard, elle débarquait dans la gare flambant neuve, de l'acier et du ciment à gogo et des panneaux solaires sur le toit ovale ! Du pur néo-stalinisme moderne. Dans le hall immense, on trouvait de tout : un Mac Do, des boutiques de souvenirs, des magasins de thé et d'alcool de riz et d'innombrables salons VIP pour les porteurs de cartes de crédit.

Bizarrement, pas de bar.

Lou Zhao fonça sur le tableau d'affichage. Ici, tous les trains pour Shanghai étaient des sortes de TGV qui ne mettaient que neuf heures cinquante-quatre pour parcourir les 1450 kilomètres séparant les deux villes. Un progrès certain : en 1933, le même trajet prenait 44 heures. A partir de juin, un train rapide CRM 80 serait mis en service, réduisant le trajet à 3 heures 58 minutes !

Le premier train, le D 21, partait à 11 h 05 et arrivait à Shanghai à 21 h 23. Elle avait largement le temps. A condition d'avoir un billet.

1. Gare du Sud.

Devant chaque guichet, s'allongeait une queue interminable, sous le regard bovin des guichetières en uniforme avec un képi. Heureusement, il y avait les distributeurs automatiques, qui ne prenaient pas les cartes de crédit.

Lou Zhao en essaya trois : en panne. Seul, le quatrième consentit à avaler ses billets roses de 100 yuans… Elle prit un siège, plutôt qu'un « lit mou », dans une cabine de quatre. Dans sa situation, elle ne voulait pas se faire remarquer. Comme elle était en avance, elle s'installa dans une grande brasserie bondée, noyée dans la foule.

Evidemment, le Guoanbu devait surveiller la gare, mais c'était un risque à courir. Grâce à son détour, elle avait dû les perdre. La seule personne appartenant à la Sécurité qui l'avait vue était le *guobao* qui avait passé sa valise dans le scanner en bas de l'escalator de l'aéroport et promené sur elle nonchalamment un détecteur de métal.

Vingt minutes plus tard, la longue rame de wagons blancs entra en gare.

Prudente, Lou Zhao attendit le dernier moment pour monter dans le train. Sans repérer personne de suspect. Enfin, calée dans son siège, elle s'efforça de regarder l'écran de télévision suspendu au plafond. Une musique aigrelette sortait des haut-parleurs. Une voix caverneuse annonça le départ du train à l'heure pile : les trains chinois étaient d'une ponctualité remarquable.

En regardant défiler les longues banderoles rouges et blanches suspendues dans le hall demandant aux gens d'être civilisés puis les alignements de HLM qui portaient sur leurs murs des numéros de trois mètres de haut, permettant de les identifier, Lou se demanda si elle reverrait jamais Pékin.

Désormais, une mortelle course contre la montre était engagée entre elle et la Sécurité d'Etat. Si elle la perdait, c'était au mieux plusieurs années dans le *Lao Gai* [1] et au pire, la balle dans la nuque réservée aux traîtres.

---

1. Système concentrationnaire chinois.

CHAPITRE II

Malko attendait depuis plus d'une heure à la sortie du métro aérien Shibuya, à côté de la statue du chien Hachiko, une des célébrités de Tokyo. Ce chien accompagnait son maître chaque matin, un professeur, et venait l'attendre le soir. Un jour, le malheureux avait eu un arrêt cardiaque, cependant pendant sept ans, le chien avait continué à venir tous les jours pour voir s'il ne revenait pas ! L'histoire avait fait le tour du Japon et Hachiko était devenu une célébrité. A tel point que la Municipalité de Tokyo avait fait ériger sa statue place Shibuya, juste devant la sortie du métro.

Une rame venait d'arriver, un flot de voyageurs bouscula Malko, fonçant vers les bars du Shibuya. Les moins pressés prenaient le temps au passage d'effleurer le museau du chien, ce qui, paraît-il, portait bonheur.

Le flot se tarit. Celle que Malko attendait, Lou Zhao, n'était pas là. Il commençait à se demander ce qui se passait. En effet, l'avion de la jeune femme

aurait dû se poser à l'aéroport de Tokyo Narita deux
heures plus tôt.

Il n'avait jamais rencontré celle qu'il attendait,
mais possédait une photo d'elle, ainsi qu'une
description physique. Le tout remis par Philip
Burton, le chef de Station de la CIA à Tokyo.

Lou Zhao avait été recrutée par un agent NOC [1]
de la CIA, sous couverture industrielle, un Britannique, Théo Stevens. Celui-ci « consultait » les
industriels désirant travailler avec les Japonais et
avait un petit bureau près de la Tour de Tokyo. Il
avait connu Lou Zhao par une amie japonaise à elle,
Maïko Nabu, et compris aussitôt l'intérêt qu'elle
représentait pour les Américains.

Après l'avoir « tamponnée », il avait passé la
main à un O.T. de la Station de la CIA. Ce n'était
pas son boulot de « traiter » une source.

Si Malko était là, c'est que dans le SMS annonçant son arrivée à Tokyo, avec le vol qu'elle
empruntait, elle avait inclus une formule codée
annonçant qu'elle avait une information « top
secret ».

Malko, qui commençait à en avoir assez
d'attendre, et, en plus, il ne faisait pas vraiment
chaud, prit son portable et appela Philip Burton.

– Elle n'est toujours pas là, annonça-t-il. Je me
demande si elle n'a pas raté son avion ou si celui-ci
a pris du retard.

1. Clandestin : Non Official Cover.

– Je vais vérifier, annonça l'Américain, pour savoir si l'avion est parti de Pékin. Je vous rappelle.

***

Malko était arrivé la veille de Bangkok, où il se trouvait en vacances avec Alexandra. Des vacances écourtées quand le chef de Station de la CIA à Bangkok l'avait invité à déjeuner au restaurant chinois de l'Oriental pour lui demander de rendre « un petit service » à la CIA : aller accueillir une source chinoise qui était traitée à Tokyo par la CIA. Par prudence, la Station de la CIA ne voulait pas qu'elle se rende à l'ambassade américaine. Donc Malko allait faire l'intermédiaire, la confesser, en lui permettant ainsi de rester « vierge ».

A peine arrivé, Malko s'était installé à l'hôtel Hyatt dans le quartier de Roppongi, froid comme la mort, moderne, confortable, tout à fait japonais. Il n'aimait pas Tokyo. C'était une ville trépidante, sans espace vert à part les 110 hectares du Parc Impérial, en plein cœur de la ville, un des seuls espaces verts épargné par la frénésie de construction qui avait fait de Tokyo un magma de béton climatisé, irrigué par une toile d'araignée de métros aériens et d'autoroutes urbaines qui se faufilaient au milieu des tours de plus en plus grandes, bâties de plus en plus près les unes des autres. Il connaissait bien l'ambassade des Etats-Unis, grâce à sa dernière mission au Japon.

Une fois installé, Malko avait sauté dans un taxi pour s'y rendre. Elle occupait tout un bloc, face à l'hôtel Okura, un des meilleurs de Tokyo, et était gardée comme un trésor, bien qu'il n'y ait pas de terrorisme au Japon. Par prudence, la circulation, y compris celle des piétons, était interdite le long de ses murs. Des chaînes empêchaient le stationnement et des policiers japonais très nerveux vêtus de chasubles d'intervention G.K, noires, avec des renforts partout qui les faisaient ressembler à des Tortues NINJA, veillaient à ce que personne ne transgresse les consignes de sécurité. Pourtant, à Tokyo, les Américains étaient chez eux depuis 1945, date à laquelle ils avaient écrasé le Japon grâce aux armes atomiques. Seulement, le Japon, s'il était devenu un géant économique, était un nain militaire et se reposait entièrement sur les Etats-Unis pour sa sécurité intérieure et sa sécurité extérieure.

Ce qui n'empêchait pas le *Naicho*, le Service de Renseignements japonais, de surveiller étroitement les agents de la CIA, les photographiant et les suivant.

Le chef de Station de la CIA accueillit chaleureusement Malko, dans son bureau du troisième étage. Il arrivait juste à l'épaule de Malko mais était habillé comme une gravure de mode.

– J'espère que vous avez fait bon voyage et qu'on n'a pas trop dérangé vos vacances, lança-t-il.

Malko s'abstint de répondre. Ses vacances avaient été non seulement dérangées, mais gâchées. Alexandra, folle furieuse qu'il l'abandonne, avait repris illico un avion pour l'Europe et Dieu sait ce qu'elle allait y faire. Poli, Malko se contenta de dire.

– Le chef de Station de Bangkok m'a demandé de vous rendre un petit service. De quoi s'agit-il ?

Philip Burton se déplaça jusqu'à un profond canapé et s'y laissa tomber, invitant Malko à s'asseoir à côté de lui.

– Un whisky ? demanda-t-il à Malko.

Malko déclina poliment et le laissa se servir. Avant toute chose, le chef de Station lui tendit un téléphone portable.

– J'ai pensé à vous. Ce téléphone est intraçable et crypté.

De toute façon, aucun téléphone du monde ne marchait à Tokyo. On était obligé d'acheter ou de louer un téléphone pendant le séjour du Japon.

Après avoir goûté son whisky, l'Américain se tourna vers Malko.

– Voilà ce qui vous amène ici. La Compagnie a depuis quelques années une source précieuse. Il s'agit d'une certaine Lou Zhao. Nom de code « Rising Sun ». Elle est capitaine de l'armée populaire chinoise.

Malko sursauta.

– C'est une militaire ?

Philip Burton éclata de rire.

– Elle était ! En Chine, certains militaires occupent aussi d'autres fonctions. Par exemple, une des plus grandes chanteuses chinoises est *aussi* un officier de l'armée populaire. Bref, Lou Zhao travaille pour la *Company* depuis maintenant un certain temps et c'est nous qui la traitons. En effet, son job officiel est avec Rolls-Royce, qui a un bureau à Pékin. Elle vient ici régulièrement, rencontrer les gens de Rolls-Royce qui gèrent tout l'Extrême-Orient. J'essaie d'avoir le moins de contacts avec elle parce que je me méfie des Chinois. Le Guoanbu est très présent au Japon et nous surveille de très près. Cette source est précieuse et il faut tout faire pour éviter de la carboniser.

Malko ne comprenait pas quelque chose.

– Apparemment, vous la traitez régulièrement. Pourquoi avoir fait appel à moi aujourd'hui ?

L'Américain sourit.

– C'est une circonstance exceptionnelle. Lou Zhao a envoyé un message codé à l'homme qui l'a recrutée, un Britannique, Théo Stevens, en lui disant qu'elle ramenait une information « top secret ». Dieu merci, son voyage ici était prévu depuis quelque temps, donc son déplacement au Japon ne semblerait pas suspect aux yeux des services secrets chinois qui se méfient de tout et de tout le monde.

– Où vais-je la rencontrer ? avait demandé Malko.

– Devant la station de métro aérien de la Place Shibuya. Etant donné l'heure d'arrivée de son vol Pékin-Tokyo à l'aéroport de Narita, elle devrait être là vers deux heures de l'après-midi. Voilà une photo d'elle.

Malko découvrit sur le document une Chinoise dans les quarante ans, avec un visage assez rond, maquillée, plutôt séduisante, en tailleur ouvert, qui laissait transparaître une poitrine importante, de longues jambes. Bref, une très jolie femme.

– Voilà, avait conclu Philip Burton. Avec ça, vous ne pouvez pas la rater. En plus, elle aura sûrement un bagage.

Malko avait empoché la photo et demandé.

– Pourquoi avoir choisi cet endroit ?

– Parce que Lou Zhao va directement retrouver sa copine, Maïko Nabu, qui tient une boutique dans Shibuya.

– Vous ne pouvez pas la rater.

Et pourtant, ils s'étaient ratés…

Son portable sonna. C'était Philip Burton.

– L'avion est parti à l'heure, mais, j'ai eu la liste des passagers : Lou Zhao ne s'y trouve pas. Elle a dû avoir un contretemps et arrivera demain. Il faudrait que vous contactiez Théo Stevens. Lui se renseignera auprès de Maïko Nabu, ils sont très proches. Je vais vous donner son téléphone. Appelez-le.

Malko nota, bousculé par les passagers sortant de la station Shilouya appela aussitôt Théo Stevens. Ce dernier avait dû être prévenu par Philip Burton, car il se montra très chaleureux.

– Si vous pouvez, venez me voir vers sept heures. Quand vous prenez votre taxi, appelez-moi et j'expliquerai au chauffeur où il doit aller.

– Vous parlez japonais ?

– Oui, cela fait trente ans que je suis ici. A tout à l'heure.

* *

Lou Zhao se réveilla en sursaut. Sans s'en rendre compte, elle s'était assoupie, épuisée par l'émotion et bercée par le ronronnement du train.

Le bruit avait changé. Elle regarda par la glace et vit qu'il s'était engagé sur l'immense pont enjambant le Yang-Tsé. Plus de six heures qu'elle avait quitté Pékin. Dans une demi-heure ils arriveraient à Nankin.

Brusquement, elle fut prise d'une crise d'angoisse. Et si le Guoanbu l'attendait à Shangai à la descente du train ? Elle connaissait l'esprit méthodique de ses agents. Ils risquaient de contrôler par principe les trains partis de Pékin dans la tranche horaire où Lou Zhao aurait pu les prendre. En plus, il n'y en avait pas beaucoup.

Lorsque la rame entra dans la gare de Nankin, elle avait pris sa décision. Traînant sa valise à roulettes, elle sauta sur le quai et s'éloigna vers la sortie, s'arrêtant devant un tableau d'affichage des départs. Elle en repéra un pour la ville de Wuhan, un peu plus à l'ouest. Bien sûr, cela allait la faire arriver à Shangai Dieu sait quand, mais le Guoanbu ne surveillerait pas les trains arrivant de Wuhan. Là-bas, elle trouverait forcément une correspondance pour Shangai.

Elle se précipita dans le passage souterrain, le train pour Wuhan partant de la voie 7.

C'était juste : à peine était-elle installée dans un wagon, déjà bondé, que le convoi démarrait.

Ce n'était plus le calme et le silence du train rapide. Plutôt un joyeux caravansérail où toutes les couches sociales se mélangeaient à la bonne franquette.

Dès que le convoi démarra, une employée commença à parcourir le wagon, poussant un petit chariot avec des fruits, des pistaches, des chips, du poulet aux légumes et des boissons, jusqu'à de la bière Budweiser.

Le voisin de Lou Zhao sortit un thermos de son sac et versa de l'eau chaude sur un paquet de nouilles lyophilisées qu'il se mit à dévorer à grands coups de baguettes…

Lou Zhao avait un peu faim et acheta une part de poulet et un sachet d'épices.

Lorsqu'elle l'eut mangé, elle gagna les toilettes, mais recula devant leur saleté. Heureusement, il n'y avait que quatre heures de train jusqu'à Wuhan.

Au moins, elle débarquerait à Shangai l'esprit tranquille. La nuit commençait à tomber sur un paysage plat.

*
* *

Le taxi de Malko s'arrêta devant un gratte-ciel du quartier d'Akasaka. Non loin de la tour de Tokyo. Le bureau de Théo Stevens se trouvait au seizième étage. La plaque indiquait « All Nippon Business Advisor ».

L'homme qui ouvrit la porte à Malko était vraiment énorme ! Avec son crâne presque chauve, ses yeux de batracien et son ventre proéminent, ce n'était pas un play-boy.

Heureusement, ses yeux pétillaient d'intelligence.

Il serra vigoureusement la main de Malko et le précéda jusqu'à un profond canapé. Quand il marchait, on avait l'impression qu'il roulait.

A peine assis, il se servit un Chivas Regal et annonça :

– J'ai appelé Maïko. Elle n'a pas de nouvelles non plus. De toute façon, si Lou Zhao arrive ce soir, elle va aller chez sa copine qui me préviendra. En attendant, je vous invite à dîner, pour vous faire goûter de la *vraie* cuisine japonaise. J'ai réservé au *Meiji Kinnonkon*. Un must. Il est hors de prix, mais cela vaut la peine.

» C'est habituel au Japon. Allons-y.

Il enfila un manteau. Malko remit son manteau
en gigogne et ils descendirent.

Une limousine noire et japonaise attendait devant
la porte le long du trottoir. Dès qu'ils apparurent,
une jeune femme qui était au volant se précipita
pour leur ouvrir les portières.

Surpris, Malko lui demanda.

– C'est votre chauffeur ?

Théo Stevens répondit, avec un éclat de rire.

– C'est ma chauffeuse ! Elle sait tout faire, elle
est formidable et elle m'adore.

Il se glissa à l'arrière, jeta quelques mots en japonais et elle démarra.

Malko jeta un regard en coin au gros homme, en
se demandant comment les femmes pouvaient
l'adorer. Il était carrément repoussant.

La voiture glissait à travers la circulation et finalement s'arrêta devant ce qui aurait pu être un ancien
palais.

– Nous sommes arrivés, annonça le Britannique.

**

Le restaurant Meiji Kinnonkon était absolument
somptueux, tout près du Palais Impérial. Dès que
Théo Stevens et Malko mirent les pieds dans
l'entrée, des hôtesses en costumes traditionnels,
kimono et obi, se précipitèrent à leur rencontre,
formant une haie de courbettes. Avec des gazouillis

ravis, elles les conduisirent jusqu'à un petit salon réservé. Typiquement japonais. Dans ce restaurant de luxe, il n'y avait pas de salle commune, c'était trop vulgaire. Uniquement de petits salons séparés par des cloisons coulissantes, ce qui fait qu'on pouvait transformer un salon de quatre en une pièce pouvant accueillir de douze à quinze personnes.

Au milieu des gazouillis des hôtesses, le Britannique et Malko se déchaussèrent et on les installa autour d'une table au ras du sol, à la japonaise, posée au-dessus d'une fosse permettant de déplier normalement ses jambes. Deux hôtesses s'occupèrent chacune des deux hommes, les brossant, s'assurant que tout allait bien.

C'était assez grisant car cela évoquait les geishas et, en Europe, on n'était pas habitué à cela.

Comme d'habitude, les hors-d'œuvres étaient déjà sur la table et, immédiatement, Théo Stevens commença à piocher dedans.

Ils étaient superbes à regarder avec un arc-en-ciel de couleurs, mais, hélas, strictement dépourvus du moindre goût. Il s'agissait d'algues, de légumes confits, de choses innommables, qui venaient probablement d'une autre planète, présentés avec un soin et un art méticuleux.

Malko se réfugia dans le saké. Tiède à souhait. Immédiatement, les hôtesses se relayèrent pour remplir son petit verre au fur et à mesure qu'il le vidait. Théo Stevens avait commencé à s'empiffrer. Les hors-d'œuvres ne durèrent pas longtemps et, dans une envolée de gazouillis, des hôtesses firent apparaître un long poisson sur un plat en argent, qu'elles déposèrent avec respect devant les deux hommes.

– C'est du *fugu*, avertit le Britannique, le plat le plus recherché au Japon. Il s'agit d'un poisson qui possède une glande pleine de poison, il faut donc des cuisiniers très expérimentés pour le préparer. Mais c'est extrêmement recherché. Vous allez sûrement aimer.

Malko reçut dans son assiette un petit tas de chair blanche et goûta le *fugu*. Il eut beaucoup de mal à garder son sérieux. Ce merveilleux poisson n'avait strictement aucun goût. C'était une chair blanche cuite à point, mais qui aurait pu appartenir à n'importe quel habitant de la mer. Le Britannique l'observait du coin de l'œil et lança.

– C'est formidable, non ? Vous avez vu, il a un petit goût sucré, c'est rarissime.

Malko ne chercha pas à discuter et acquiesça silencieusement. Ce n'était pas mauvais, ce n'était pas bon non plus. Pendant qu'il vidait son assiette, Théo Stevens eut le temps de remplir encore trois fois la sienne. Finalement, arrivèrent les desserts, très sophistiqués eux aussi mais qui n'avaient pas beaucoup plus de goût que les hors-d'œuvres.

Les deux hommes prirent ensuite du thé et continuèrent à se goinfrer de saké.

Théo Stevens ne semblait pas pressé et s'accouda confortablement, comme pour commencer sa digestion. Malko était intrigué par quelque chose.

– Sans rompre le secret, demanda-t-il, pouvez-vous m'expliquer comment vous avez connu cette Chinoise Lou Zhao ?

Une lueur salace passa dans le regard de batracien.

– C'est grâce à une de mes copines, dit-il. Une fille qui habite Shibuya et qui tient une boutique à la fois de fringues et de lingerie : Maïko Nabu presque votre nom.

Il se pencha vers Malko et ajouta sur le ton de la confidence.

– J'ai eu une longue aventure avec elle et c'était très agréable. Même encore maintenant, de temps en temps, on va un peu traîner dans des bars et s'amuser.

Comme Malko ouvrait la bouche pour poser une autre question, Theo Stevens se pencha encore plus vers lui et dit.

– Vous voulez voir des photos de Maïko ?

Sans attendre la réponse de Malko, il prit dans sa poche intérieure un jeu de photos et les lui tendit.

Celui-ci, d'abord étonné que le Britannique promène sur lui les photos d'une ancienne maîtresse, les prit, baissa les yeux et eut un choc. Il s'agissait de photos carrément obscènes. On aurait dit des extraits de films X. Elles représentaient d'abord une

Japonaise bien faite, nue, dans des positions agres-
sivement provocantes, souriante, ravie visiblement
d'être photographiée. Deux ou trois autres représentaient la même Japonaise chevauchant Théo, allongé
comme un pacha, son sexe bien enfoncé dans le
ventre de la jeune femme, apparemment aux anges.

Malko n'en revenait pas. Cette fille n'était pas
une pute, mais elle semblait ravie. Devinant ses
pensées, Théo Stevens annonça modestement.

— J'ai beaucoup de succès avec les Japonaises.
D'abord, parce que je parle à peu près japonais et
puis je suis un *gaijin*[1]. Or, le rêve d'une Japonaise
c'est d'épouser un *gaijin*. Et puis, elles sentent que
j'aime le sexe. Or, beaucoup de Japonaises aiment
aussi le sexe. Seulement, elles sont tenues à une
relative inactivité à cause du filet de la contrainte
sociale du pays. Avec moi, évidemment, elles se
sentent plus libres.

Malko ne put que dire :

— Je vois. Apparemment, vous vous entendez très
bien.

Nouveau rire de Théo Stevens.

— On s'entendait très bien parce que nous avions
les mêmes goûts. Nous aimions tous les deux faire
travailler la « tige de jade »[2]. Et Maïko aime autant
que moi se faire photographier pendant qu'elle fait
l'amour. Un jour, si vous voulez, je vous en
montrerai, j'ai des dizaines de photos d'elle.

1. Etranger.
2. Le sexe masculin.

– Comment de Maïko êtes-vous arrivé à Lou Zhao ? demanda Malko.

– C'est une coïncidence. Quand j'ai rencontré Maïko, j'ignorais qu'elle était très liée à Lou et que celle-ci, à chacun de ses passages à Tokyo, venait la voir. Elles sortaient toutes les deux, elles s'amusaient, achetaient des vêtements, des sous-vêtements etc… Donc, un soir, Maïko m'a prévenu que Lou arrivait et proposé qu'on aille dîner tous les trois. Evidemment, ça m'amusait, d'autant qu'elle m'avait dit que Lou était une femme divorcée libre, qui aimait bien le sexe. J'ai vu immédiatement l'occasion de faire un coup double.

» Donc, ce soir-là, nous sommes allés dîner, mais j'ai vite compris que je n'intéressais pas Lou Zhao sexuellement. Dans son job, elle traitait avec des tas de boîtes chinoises qui lui achetaient ses moteurs et ses turbines.

» Une précieuse source d'informations.

» Je l'ai revue plusieurs fois et, un jour, je lui ai proposé « la botte ». Elle continuait à travailler pour Rolls-Royce, mais *aussi* pour nous. Je lui ai expliqué que ce n'était pas dangereux et bien payé. Elle a réfléchi et elle a dit « oui ».

A ce moment, je l'ai basculée sur un OT[1] de la Station. Je sais qu'elle a souvent ramené des informations très intéressantes sur le potentiel industriel des Chinois.

1. Officier traitant.

Il regarda sa montre.

– On va partir. Demain matin j'ai rendez-vous à sept heures trente.

Malko préféra ne pas regarder l'addition payée avec une carte Amex ; le moyen le plus courant au Japon.

Lorsqu'ils sortirent, la « chauffeuse » était déjà devant la porte.

Théo Stevens tendit un bout de papier à Malko.

– Voilà l'adresse du magasin de Maïko Nabu, allez la voir demain matin, car je suis en meeting toute la matinée. Comme ça, vous récupérerez Lou Zhao.

Malko, revenu au Hyatt, se demanda quand il verrait la fameuse Lou Zhao et quel secret elle possédait.

CHAPITRE III

Une Audi 8 noire à la carrosserie allongée, et aux glaces fumées, émergea de l'énorme immeuble stalinien occupant le 14 de l'avenue Dong Chang'an qui donnait sur la place Tien An Men, comme des étrangers comme l'avenue de la Paix Céleste, et tourna, s'éloignant dans la direction de l'est.

Cet austère bunker gris était le centre nerveux du Renseignement chinois, regroupant à peu près tous les Services, bien que le Guoanbu possède d'autres immeubles dans Pékin. Notamment son QG opérationnel qui se trouvait à Xiyiang, entre le Palais d'Eté et le zoo.

Quelques passants, en face du 14 de l'avenue Dong Chang'an, détournèrent la tête pour ne pas être soupçonnés de s'intéresser au véhicule qui venait de sortir. Ici, le culte du secret était poussé à ses extrêmes : une partie de la façade de l'immeuble était cachée par de hauts pins ou de la toile synthétique verte.

A l'intérieur, des jardins et des bâtiments de bureau se distribuaient autour d'une grande cour, jouxtant une piste d'atterrissage pour hélicoptères. Les murets de briques grises étaient truffés de caméras de surveillance. Tout le long de la façade, des policiers armés veillaient, leurs têtes émergeaient à peine de la verdure.

Précaution supplémentaire, le trottoir était divisé en deux par une ligne jaune peinte sur le sol, éloignant les passants du mur, ligne qu'il ne fallait franchir sous aucun prétexte sous peine de déclencher des réactions violentes des policiers de garde.

Ici, c'était le Saint des Saints, comme le quartier abritant les dirigeants actuels, *Zhong Nan Hai*, jouxtant aussi la place Tien An Men.

Le nom était si connu qu'il avait donné son nom à la marque de cigarettes la plus populaire et la plus chère de Chine…

L'Audi noire tourna à droite, empruntant une grande avenue encombrée, en dépit des efforts des policiers en bleu postés à chaque carrefour, haranguant les automobilistes avec de puissants haut-parleurs.

Le conducteur de l'Audi n'avait cure de la circulation. Il donnait de petits coups de sirène, occupait le milieu de la chaussée, écartant les véhicules des deux voies. Bien entendu, les policiers lui facilitaient le passage. Même s'ils ignoraient qu'il transportait un des personnages les plus puissants de la République Populaire chinoise, Zhou Yongkang, le numéro 3 du régime, ancien ministre de la Sécurité publique, le Gonganbu. Désormais, il coordonnait les Services et était un des neuf hommes siégeant au Bureau permanent du Comité Central du Parti Communiste chinois.

Il avait un contact direct avec le président Hu Jin Tao qu'il pouvait appeler sur sa ligne directe.

Un homme extrêmement puissant.

**
*

Zhou Yong Kang regardait distraitement la foule sur les trottoirs. Soucieux. Il passa la main dans ses cheveux noirs de geai d'un geste machinal. Comme tous les dirigeants chinois, bien qu'il ait soixante-deux ans, il avait la chevelure d'un danseur mondain. C'était une règle non écrite : aucun dirigeant ne devait exhiber des cheveux gris ou blancs. Une sorte d'uniforme qui réclamait des litres de teintures.

Il regarda le dossier rouge posé à côté de lui, sur le siège de l'Audi. Pensif.

C'est lui qui avait été prévenu le premier de l'interception technique en provenance de l'appartement du capitaine Lou Zhao. Bien entendu, il avait immédiatement donné l'ordre de se saisir de la jeune femme, mais celle-ci avait échappé au Guoanbu ; il fallait penser à d'autres mesures et analyser la situation.

L'Audi avait ralenti : ils se trouvaient désormais dans un des vieux quartiers de Pékin, épargné par les démolitions, Lumintang Hutong, à l'est de la ville, près du parc Ritan.

En principe, le 4e bureau, le « Bureau de soutien technique du Guoanbu » était chargé du contre-espionnage dans Pékin intramuros. L'Audi s'arrêta devant une porte d'acier gris gardée par deux senti-nelles.

Le conducteur brancha sa radio VHF et s'annonça. Après avoir vérifié le numéro de la voiture, le portail glissa, s'enfonçant dans le mur d'enceinte et ils pénétrèrent dans une grande cour bordée de plusieurs bâtiments. Cet ensemble était l'ancienne demeure de *Li Kenong*, responsable à partir de 1949 du Shehuibu, l'ancien service secret de Mao.

Il n'avait guère changé de destination…

Quand la voiture s'arrêta, un homme apparut sur le perron, dans un strict costume bleu, avec une cravate rouge. C'était Wang Jun, le responsable du centre. Il s'inclina profondément devant le nouvel arrivant.

– Bienvenue, *Tong-Zhi*[1] Yong Kang. Je suis à votre disposition.

Zhou Yong Kang ne releva pas l'anachronisme et dit simplement.

– J'espère que vous avez préparé un dossier complet. Je n'ai pas beaucoup de temps.

---

1. Camarade.

Etant donné l'importance de l'affaire, il avait tenu à vérifier lui-même la source de l'information et la façon dont elle avait été recueillie.

Ils pénétrèrent dans une petite pièce uniquement ornée du portrait de Hu Jin Tao et d'une peinture représentant Mao Tsé Tung en train de traverser le Yang Tsé à la nage.

Un homme assis au bord d'une chaise se leva vivement et se mit au garde-à-vous.

– C'est Chen Boda, annonça Wang Jun. C'est lui qui a recueilli cette écoute. Son dossier est sur la table.

– Il avait l'habitude de surveiller cette personne ? Demanda Zhou Yong Kang.

– Absolument, chacun de nos agents a la charge de cinq « clients » qui sont traités par des opérateurs séparés, nous en avons…

Zhou Yong Kang le coupa.

– Puis-je voir le dossier ?

– Il est sur la table.

Le Numéro 3 du régime s'installa dans un fauteuil de bois poli et se plongea dans l'histoire du capitaine Lou Zhao. Dans un silence de mort.

Le dossier comportait les écoutes des trois derniers mois. Il leva la tête.

– Il n'y a rien d'autre ?

– Si, si, se hâta de préciser Wang Jun. Nous surveillons cette personne depuis qu'elle travaille pour Rolls-Royce. Cependant, cette partie du dossier est archivée. J'ai demandé qu'on vous la sorte, même si elle ne contient aucun élément susceptible de vous intéresser.

– Peu importe, affirma Zhou Yong Kang. Qui est l'amant de Lou Zhao ?

– Un homme insoupçonnable : Li Xiao Peng, le fils de Li Peng, l'ancien Premier ministre.

– Que fait-il ?

– Il a le grade de général dans l'Armée Populaire de Libération et est Inspecteur général de l'Armée de l'Air.

Zhou Yong Kang demeura silencieux quelques instants. Li Xiao Peng était un « Prince Rouge ». A ce titre, c'était un des privilégiés du Régime. De plus, 90 % des hauts gradés de l'armée étaient des « princes rouges ».

– Où habite-t-il ?

– Dans un immeuble de luxe, à l'est, le long du cinquième périphérique.

– Il est sur écoute ?

Wang Jun hésita imperceptiblement.

– Non.

C'était toujours délicat de mettre un « prince rouge » sur écoute.

– Il est marié ?

– Oui. Sa femme occupe un poste important à la *Huaneng Power International*.

Zhou Yong Kang se leva après avoir pris le dossier.

– Mettez-le immédiatement sur écoutes, dit-il. C'est un ordre. Vous recevrez une confirmation écrite.

Il sortit de la pièce, laissant les deux hommes figés. Priant pour qu'on ne les charge pas d'une faute imaginaire.

Zhou Yong Kang remonta dans son Audi et lança au chauffeur.

– On va à Xiyiua.

Le siège du Guoanbu « opérationnel ». Avant de rendre compte au Président Hu Jin Tao de cet incident qui pouvait être gravissime, il devait en connaître tous les éléments. Et surtout, veiller à ce que rien ne s'ébruite.

Il composa un numéro sur son portable. Celui d'une ligne secrète du Guoanbu, celle chargée des opérations urgentes. Lorsqu'il eut son correspondant en ligne, il se fit connaître et ordonna :

– Assurez-vous le plus vite possible de deux membres du Quatrième Bureau, Wang Jun et Chen Boda. Ils travaillent au Centre de Lumintong Hutong. Qu'ils soient internés à Qin cheng et mis au secret.

La prison de Qin cheng était la seule prison qui ne soit pas sous la tutelle du Ministère de la Justice, mais du Ministère de la Sécurité Publique.

Elle se trouvait dans la banlieue nord de Pékin, à une trentaine de kilomètres du centre.

***

Le siège du Guoanbu opérationnel était un grand
bâtiment ressemblant aux constructions de l'Alle-
magne de l'Est. Les sentinelles se figèrent devant
l'Audi 8 noire qui stoppa devant la porte. Automatiquement, ils mirent la main sur la crosse de leur
pistolet de service, enfermé dans un holster en plastique moulé G.K. qui permettant de dégainer plus
facilement.

Aussitôt, la voix caverneuse d'un haut-parleur
lança :

– *Bao Sao* [1] !

Le chauffeur de Zhou Yong Kang se connecta sur
la fréquence du poste de garde et déclina l'identité
de son illustre passager. Alors, seulement, les portes
glissèrent et le véhicule put pénétrer dans la cour.

Les Chinois étaient des maniaques de la sécurité.
Personne n'y échappait, même dans les plus petits
détails. Tout était planifié. Un agent attendait Zhou
Yong Kang sur le perron. Après l'avoir salué
respectueusement, il le conduisit directement dans
le bureau du chef des « enquêtes spéciales ».

Hua Kincheng était un homme mince comme un
fil, avec des lunettes cerclées d'acier, un maintien
sévère et un visage très pâle. A peine s'était-il levé
de son bureau, que Zhou Yong Kang l'apostropha.

1. Annoncez-vous !

– Vous l'avez retrouvée ?

– Non, pas encore, avoua le fonctionnaire du Guoanbu. Pourtant, nous avons diffusé sa photo à tous les postes frontières, aux aéroports internationaux et aux ports.

» Dès que j'ai été averti, j'ai envoyé des hommes à l'aéroport international, mais elle s'était volatilisée…

– Et ensuite ?

– J'ai expédié des agents dans toutes les gares de Pékin. Sans résultat. Nous savons seulement qu'elle n'a pas acheté de ticket à un guichet.

– Il y a les distributeurs automatiques, remarqua sèchement Zhou Yong Kang.

Son vis-à-vis baissa la tête.

– Oui, c'est exact.

Intercepter une personne comme Lou Zhao était presque impossible parmi les dizaines de milliers de voyageurs qui se déplaçaient tous les jours en Chine.

Le téléphone sonna et Hua Kincheng alla répondre.

La conversation fut longue et, lorsqu'il raccrocha, Hua Kincheng avait un peu plus pâli.

– C'était notre antenne de Shangai. Depuis hier soir, ils surveillent les deux gares, à l'arrivée de tous les trains en provenance de Pékin.

» Sans résultat.

– Vous avez perquisitionné chez elle ?

– Bien sûr. Sans rien trouver. Notre enquête nous montre que ce voyage était programmé. Elle se rend tous les deux mois à Tokyo, au siège de la Rolls-Royce Company pour des raisons professionnelles. Nous n'avions donc aucune raison de nous méfier.

Zhou Yong Kang pensa soudain à une hypothèse folle.

— Elle ne serait pas chez son amant ?

Hua Kincheng secoua la tête.

— Impossible, il y a toute sa famille, mais j'ai quand même posté des gens autour de la résidence.

Lou Zhao ne s'était pas éclipsée pour rester à Pékin.

— Elle n'a pas de parents chez qui elle aurait pu se réfugier ?

— Ses parents, mais elle n'y est pas. Nous continuons nos recherches.

Il baissa la voix pour demander respectueusement.

— Vous n'avez pas d'éléments à me fournir pour aider nos recherches ?

— Non, répliqua sèchement Zhou Yong Kang.

Actuellement, il était le seul encore en liberté avec Lou Zhao à savoir pourquoi la Chinoise était recherchée, ceux qui avaient découvert le pot aux roses étant désormais emprisonnés, au secret. Même Hua Kincheng ne savait pas *pourquoi* il devait mettre la main sur le capitaine Lou Zhao.

Le cloisonnement.

Zhou Yong Kang devait absolument découvrir si cette opération « *Dragon Rouge* » était un fantasme d'ivrogne ou une réalité.

En théorie, elle était complètement impossible, l'armée n'ayant pas d'autorité politique et obéissant totalement au Parti. Seulement, il était bien placé pour savoir qu'une partie de l'armée était aux mains des « Princes Rouges » et que ceux-ci étaient les descendants des vieux pontes du parti communiste chinois qui n'étaient pas toujours d'accord avec la politique du « tout économique » de Hu Jin Tao. Eux étaient des politiques purs, et avaient lutté toute leur vie pour libérer la Chine des étrangers et des « mauvais » Chinois.

La Chine, tout entière, dont faisait partie à leurs yeux, Taiwan. Certes, ces hommes n'avaient plus de pouvoir officiel, mais étaient respectés, comme les « pères de la Révolution » et possédaient encore de nombreux réseaux.

— Je veux voir le dossier Li Xiao Peng, demanda Zhou Yong Kang.

— Oui, je l'ai réclamé au centre. Vous voulez l'examiner ?

— Certainement.

Le dossier vert se trouvait sur le bureau et Zhou Yong Kang l'ouvrit. Avant de s'y plonger, il releva la tête et demanda brusquement.

— Avez-vous cherché à savoir si le capitaine Lou Zhao s'était rendue au siège de Rolls Royce à Tokyo ?

— Certainement. J'ai lancé l'opération ce matin, mais il a fallu faire un petit montage. J'attends la réponse.

Zhou Yong Kang se plongea dans le dossier du
général Li Xiao Peng. Dix minutes plus tard, il le
refermait, déçu : il était lisse comme la peau d'un
bébé. A part quelques incartades mineures, comme
des visites à des salons de massage connus pour être
des lieux de prostitution, il n'y avait rien dans la vie
politiquement correcte du général.

Même pas un soupçon de corruption, ce qui était
plutôt rare…

– Sait-on s'il rencontre fréquemment Li Peng et
ses amis ?

– Non, avoua Hua Kincheng ; c'est très difficile,
même pour nous, d'enquêter dans ce milieu. Nous
avons des ordres.

Evidemment, toutes les « vieilles barbes » étaient
insoupçonnables par définition. Pourtant, certains
avaient évolué…

L'ancien secrétaire de Mao Li Rui avait même
publié une lettre ouverte demandant la fin de la
censure…

N'importe quel autre Chinois se serait retrouvé
au Lao Gai pour de longues années après avoir
proféré une telle insanité. Dans son cas, on avait
fermé les yeux, excusant un vieillard qui n'avait
plus toute sa tête…

Zhou Yong Kang connaissait déjà le parcours de
Lou Zhao. Là non plus, il n'y avait aucune tache. Le
capitaine Zhao avait remporté plusieurs concours de
tir, avant de donner sa démission de l'Armée Popu-

laire. Comme beaucoup d'autres officiers qui
avaient envie de devenir riche.

Comme c'était le slogan de l'ancien président
Deng Tsiao Ping, personne ne pouvait s'y opposer.

Le téléphone sonna et, après une profonde cour-
bette, Hua Kincheng répondit. La conversation fut
brève. Lorsqu'il raccrocha, le responsable du
Guoanbu annonça d'une voix mal assurée.

— Le capitaine Lou Zhao n'a pas été vue au siège
de Rolls-Royce à Tokyo.

Ce qui confirmait l'intuition de Zhou Yong Kang.
Visiblement, Lou Zhao ne s'attendait pas à une
attaque du Guoanbu. Elle y avait échappé pour une
raison qu'il ignorait, mais n'avait sûrement pas eu
le temps d'organiser une sortie clandestine de
Chine.

Il leva la tête vers son vis-à-vis.

— Le capitaine Zhao se trouve toujours en Chine,
martela-t-il. Il faut la retrouver.

— Je vais activer des agents partout ! jura Hua
Kincheng.

— Inutile. Si vous vouliez quitter la Chine clandestinement, où iriez-vous ?

— Je ne sais pas, bredouilla l'agent du Guoanbu.

— Imbécile ! Dans un endroit où il y a un aéroport
international ou un port.

» Shangai possède les deux. Concentrez vos
recherches sur cette zone.

Il se leva et lança d'une voix glaciale.

– Je vous rends responsable de cette enquête. Vous *devez* retrouver le capitaine Zhao.

Il sortit de la pièce sans serrer la main de Hua Kincheng, muet de terreur.

S'il n'arrivait pas à retrouver la fugitive, Dieu sait ce qu'il lui arriverait.

D'autres avaient été envoyés au *Lao Gai* pour moins que cela.

Il se jeta sur son téléphone et appela son antenne de Shangai.

CHAPITRE IV

Le taxi arrêta Malko juste en face de la station de métro aérien Shibuya, là où il avait attendu la veille. Comme il n'avait pas l'adresse exacte du magasin de Maïko Nabu, il avait préféré s'y rendre à pied, à partir de la place Shibuya, grâce aux explications de Théo Stevens.

Pour une fois, un soleil radieux brillait sur Tokyo, bien qu'il fasse assez froid.

Malko traversa la place en utilisant le passage pour piétons signalé par de larges bandes rouges, passa devant le building Nº 109 de la place qui étalait le chiffre sur sa façade et s'engagea dans une voie piétonne, l'allée Spasen Dari où se trouvait la boutique *Takonako* de Maïko Nabu.

Le quartier était très animé, avec des groupes de filles jeunes habillées d'une façon excentrique, ce qu'on appelait au Japon le style « Gothique Lolita », des jupes aux genoux, des chaussettes ou alors des minis. Malko croisa même une fille qui portait un porte-jarretelles *au-dessus* de sa jupe ! Toutes semblaient s'amuser beaucoup, s'arrêtaient devant les restaurants affichant en vitrine leurs menus sous forme de maquettes multicolores des plats. Il arriva enfin à la petite boutique *Takonako* et s'arrêta devant la vitrine.

Comme dans beaucoup de boutiques japonaises, un chat, la patte levée, installé dans la vitrine, était censé attirer les clients. C'était le chat *manekineko*, symbole du commerce.

Malko poussa la porte, écarta le rideau et se trouva dans une boutique minuscule, encombrée, pleine de cartons.

Quelques minutes plus tard, une Japonaise surgit de ce qui semblait être une arrière-boutique. Elle s'inclina profondément, comme on fait au Japon. Malko en fit autant. La jeune femme demanda alors dans un anglais parfait :

– Que cherchez-vous, monsieur ? C'est pour votre fiancée ?

Elle ne considérait pas apparemment Malko comme un homme marié et sage.

Celui-ci sourit.

– Non, je ne viens pas acheter de vêtement, je suis à la recherche de votre amie Lou Zhao.

La Japonaise poussa un petit cri d'étonnement, le dévisagea avec plus d'intérêt et lâcha :

– Elle devait effectivement arriver à Tokyo hier et devait me téléphoner de l'aéroport. Elle ne l'a pas fait. Alors, je pense qu'elle a retardé son voyage.

– Moi aussi, j'avais rendez-vous avec elle, dit
Malko, je l'ai attendue longtemps, mais elle n'est
pas venue. Je suis un peu étonné. Ce n'est pas le
genre à poser des lapins.

Du coin de l'œil, Maïko Nabu examinait Malko.
Elle portait des vêtements assez vagues, qui dissi-
mulaient le corps magnifique qu'il avait vu sur les
photos montrées par Théo Stevens. Cependant, une
lueur dans ses yeux noirs lui laissait penser qu'elle
n'était pas indifférente au sexe.

Timidement, la Japonaise demanda.

– Comment vous appelez-vous ?

– Malko. Malko Linge.

Elle pouffa et remarqua.

– C'est amusant. Moi, je m'appelle *Maïko*, c'est
presque pareil.

– Est-ce que vous pouvez essayer de téléphoner
à Lou ? demanda Malko.

– Bien sûr, je vais essayer, dit-elle aussitôt.

Elle gagna le petit comptoir, prit son portable et
composa un numéro. Quelques instants plus tard,
elle releva la tête.

– Son portable ne répond pas. Voulez-vous que
je vous rappelle si j'ai des nouvelles ?

Malko, qui n'avait strictement rien à faire à
Tokyo à part son rendez-vous avec Lou Zhao, saisit
l'occasion.

– A quelle heure fermez-vous ?

– A huit heures.

– Bien. Si vous voulez bien, je passerai juste avant la fermeture de votre boutique et nous ferons le point.

Après une très courte hésitation, Maïko Nabu acquiesça.

– D'accord. A tout à l'heure.

A la sortie de la boutique, Malko flâna quelques instants dans la rue piétonne, s'amusant devant les boutiques plus farfelues les unes que les autres, bousculé par des groupes de jeunes filles. C'était vraiment le quartier le plus vivant de Tokyo, même si c'était en même temps très japonais.

N'ayant rien à faire, il décida de retourner à l'hôtel Hyatt se reposer car marcher dans Tokyo n'avait rien de drôle.

* *
*

Lou Zhao ouvrit les yeux en sursaut. Le train de Wuhan avait ralenti et défilait désormais entre deux haies de HLM. Ils étaient enfin arrivés à Shanghai !

Le voyage avait été épouvantable. Arrivée à Wuhan au milieu de la nuit, elle avait dû dormir dans une salle d'attente crasseuse, au milieu de paysans attendant, comme elle, leur correspondance. Souvent assis par terre. Ensuite, cinq heures dans un wagon « dur » avaient achevé de la briser. Elle regarda d'un air absent les immeubles qui défilaient de plus en plus lentement. Apercevant dans le lointain, la silhouette impressionnante de la tour Jimmao, la plus haute de Shanghai, dominant le quartier de Pudong, juste en face du « Bund » l'ancien quartier général des Européens, du temps des concessions. De l'autre côté de la rivière Huangpu, qui traversait la ville pour aller se déverser dans la mer de Chine. Il n'y avait auparavant, sur cette rive, que des terrains vagues. Désormais, c'était devenu une sorte de Manhattan, hérissé de gratte-ciel tous plus modernes les uns que les autres.

Pas d'habitation, uniquement des bureaux et des hôtels. Le train entrait dans la gare de Shanghai. Lou Zhao se raidit. De nouveau, elle se trouvait dans une zone dangereuse : le Guoanbu n'avait sûrement pas levé sa surveillance. Cependant, il ne pouvait pas surveiller *tous* les trains. Shanghai était un nœud ferroviaire important, avec des trains arrivant et partant dans toutes les directions.

Lou Zhao prit soin de se mêler aux autres voyageurs, cherchant des silhouettes suspectes, des hommes plantés au bout du quai.

Il n'y avait personne.

Une fois dans le hall d'arrivée, elle se dirigea vers le métro. Le moyen le plus discret de se déplacer. Ce n'était pas une heure de pointe et elle trouva facilement de la place.

Elle avait pris la direction du sud, sur la ligne N° 1, se rendant à Nanshin, la vieille ville chinoise qui n'avait pas beaucoup changé depuis des temps immémoriaux.

Lou Zhao descendit à la station Huang Pi Nan road et continua à pied. Elle se sentait relativement rassurée : le Guoanbu ne viendrait pas la chercher ici…

Après quelques centaines de mètres, elle déboucha à l'orée d'une petite rue qui semblait sortir d'une carte postale ! Une petite fille en nattes sautait à la corde à l'entrée. Un peu plus loin, un homme déjeunait, assis sur un tabouret, devant chez lui.

Ici, il n'y avait pas de trottoir et les voitures ne venaient presque pas. Du linge pendait aux fenêtres, quelquefois étendu d'un côté à l'autre de la rue. Les vieilles maisons, en briques rougeâtres, n'avaient plus d'âge.

C'étaient les « Hu-Tong », les maisons de l'ancienne Chine, qui disparaissaient peu à peu, rasées pour laisser la place à des buildings modernes.

Lou Zhao parcourut quelques mètres et s'arrêta devant une porte jaune sans aucun signe : la demeure de son cousin Chuen Ki. Ils venaient du même village mais se voyaient rarement. Lorsqu'il venait à Pékin, il était gêné par le « faste » relatif de l'appartement de sa cousine et par sa réussite. En plus, elle possédait une voiture, une Beetle toute neuve, alors que lui n'arrivait pas à se payer un vélo électrique…

C'était un homme d'une quarantaine d'années, passionné par les oiseaux : d'ailleurs, il en vivait. En effet, dans son arrière-cour, il avait un élevage de perruches qu'il vendait régulièrement.

La Chinoise hésita un peu : ils ne s'étaient pas vus depuis deux ans. Elle savait qu'il vivait toujours seul, n'ayant pas les moyens d'entretenir une femme. Seulement, il possédait un avantage énorme : le Guoanbu ne pouvait pas connaître son existence. En effet, Lou Zhao ne l'avait répertorié nulle part. Il n'avait pas le téléphone et elle connaissait son adresse par cœur.

Prenant son courage à deux mains, elle frappa plusieurs coups au battant jaune. Il y eut des bruits à l'intérieur, puis la porte s'ouvrit, laissant échapper une bouffée d'air nauséabond : les perruches, cela sentait mauvais…

L'homme demeura muet quelques instants, puis son visage s'éclaira.

– Lou ! Ma charmante cousine ! Quelle bonne surprise !

– Je peux entrer ? demanda Lou Zhao timidement.

Chuen Ki ouvrit largement le battant, découvrant une pièce en désordre, avec un poêle de faïence au fond et, dans une alcôve, un lit avec une moustiquaire.

Lou Zhao entra, traînant sa petite valise.

– Je suis de passage à Shanghai et j'ai voulu te dire bonjour, affirma-t-elle.

– Tu restes longtemps ?

– Deux jours, peut-être trois.

– Bon, je vais te faire du thé.

Il s'affaira sur un réchaud et elle s'assit au coin de la table de bois, un peu mal à l'aise : le regard de Chuen Ki, lorsqu'il se posait sur elle, brillait d'une lueur étrange. Déjà, quand elle était petite fille, il essayait toujours de la tripoter. Pourtant, à cette époque, la discipline sexuelle communiste était extrêmement stricte. Renforçant la pudeur naturelle des Chinois.

Chuen Ki revint avec deux tasses ébréchées et une théière cabossée.

Le thé était brûlant mais Lou Zhao le but avec plaisir. Ils se mirent à bavarder de choses et d'autres, du village, des parents qui mouraient et elle demanda finalement.

– Et toi, tu te débrouilles ?

Chuen Ki fit la moue.

– Je gagne un peu d'argent mais c'est dur. Maintenant, les gens préfèrent aller dans les supermarchés ou même au cinéma que d'écouter chanter les oiseaux. Et puis je sais que toutes ces maisons sont vouées à la démolition. Après, je ne sais pas où j'irai.

– On te relogera…

Le Chinois haussa les épaules.

– Ils *diront* qu'ils me relogent, mais ils s'en foutent. Et puis, avec mes oiseaux, j'ai besoin de place. Si cela ne va pas, je retournerai au village.

– Tu peux trouver du travail, ici, à Shanghai.

– Je ne sais rien faire… Et c'est très mal payé.

Pendant qu'il parlait, elle avait sorti son paquet de *Zhong Nam Hai* et alluma une cigarette. Nerveuse. C'est maintenant que tout se jouait.

– Je peux te prendre une cigarette? demanda Chuen Ki. Je n'ai jamais fumé cette marque-là, c'est trop cher pour moi…

Il prit avidement une cigarette et l'alluma. Lou Zhao laissa s'écouler quelques instants et regarda sa montre.

– Je vais te laisser, je dois chercher un hôtel.

Chuen Ki se récria.

– Un hôtel! Pour deux jours. Reste ici dormir.

– Ici! Tu n'as pas la place, et puis, je ne veux pas te déranger…

Chuen Ki proposa aussitôt.

– Je te laisserai mon lit, moi je dormirai par terre. Ce n'est pas pire qu'au village.

Lou Zhao fit semblant de réfléchir quelques instants. Evidemment, elle ne pouvait pas dire à son cousin qu'il était hors de question pour elle de s'inscrire dans un hôtel.

– Bon! dit-elle, si cela te fait plaisir. Nous parlerons du passé. Bon, puisque tu m'invites, je vais faire les courses pour le déjeuner et ce soir je t'emmènerai au restaurant.

Son cousin lui jeta un regard méfiant.

– Tu vas revenir?

Elle montra sa valise à roulettes.

– Je te la laisse.

Après avoir terminé son thé, elle se leva et sortit. Le cœur un peu plus léger. Elle avait déjà résolu *un* de ses problèmes. Maintenant, il fallait trouver une solution au second : quitter la Chine. Pour cela, elle n'avait qu'un seul moyen. Lorsqu'elle avait été briefée, après être devenue une « source » de la CIA, on avait prévu ce genre de problème. On lui avait donné le nom de code d'un homme, Max, un agent clandestin de la CIA qui opérait à Shanghai. Elle ne connaissait que son pseudo et l'adresse du magasin d'antiquités où on pouvait le trouver.

Il n'y avait aucune trace de lui dans ses carnets ou son ordinateur et elle ne l'avait encore jamais contacté. Simplement la CIA lui avait donné un mot-code pour qu'il sache qu'elle appartenait vraiment à la maison : « Sun Rising ». Hélas, elle ignorait s'il se trouvait à Shanghai et comment il l'accueillerait.

Elle parcourut trois cents mètres avant de trouver un taxi.

– Je vais au croisement de Henan Lu et Fang Bang Lu, annonça-t-elle.

La boutique où elle pouvait trouver « Max » se trouvait sur Fang Bang Lu, presque au croisement des deux rues.

***

Malko venait de rentrer au Hyatt quand son portable sonna. Théo Stevens.

– Vous avez des nouvelles de Lou Zhao ? demanda le Britannique.

– Aucune, avoua Malko. J'ai été voir Maïko Nabu, elle n'en a pas non plus et elle l'a encore appelée ce matin.

– Hier, il y a eu une chose bizarre, dit Théo Stevens. Les gens de Rolls-Royce m'ont appelé : quelqu'un a demandé Lou Zhao en prétendant qu'il avait rendez-vous avec elle.

– Ce n'est pas extraordinaire, remarqua Malko.

– Non, mais j'ai vérifié, il s'agit d'une boîte de consulting qui travaille beaucoup avec la Chine.

Malko réfléchit quelques instants.

– C'est plutôt une bonne nouvelle, remarqua-t-il. Si les Chinois cherchent toujours Lou Zhao, c'est qu'ils n'ont pas encore mis la main dessus.

– Exact, reconnut Théo Stevens, mais cela ne nous dit pas où elle est…

– OK, on fera le point ce soir.

A peine avait-il terminé qu'un son aigu sortit de son portable japonais. Un SMS.

Il le déchiffra : Philip Burton voulait le voir d'urgence.

Dieu merci, les taxis pullulaient à Tokyo. Malko ne resta pas deux minutes au bord du trottoir en face du Hyatt. Un chauffeur en gants blancs ouvrit de son siège la portière arrière de son véhicule et Malko lui lança.

– *Okura Hotelru* [1].

Arrivé à l'hôtel, il n'eut qu'à traverser la place pour arriver à l'ambassade. Le « marine » U.S. de garde était prévenu et le fit patienter dans un petit sas en attendant que la secrétaire de Philip Burton vienne le récupérer.

Le chef de Station de la CIA vint à sa rencontre, visiblement soucieux et l'invita à s'asseoir dans le grand canapé rouge.

– Toujours aucune nouvelle de Lou Zhao?

– Aucune, dit Malko. Son amie, Maïko Nabu n'en a pas non plus. Et vous?

– Rien. La Station de Pékin n'a entendu parler de rien. Lou Zhao a disparu, au lieu de prendre son avion pour Tokyo.

– Donc, elle est toujours en Chine…

– C'est probable. Mais ce n'est pas pour cela que je voulais vous voir. J'ai reçu un long message de Langley. La NSA a intercepté de nombreuses communications radio où revient le nom de Lou Zhao. Apparemment, le Guoanbu la recherche activement et à un niveau élevé. Ce qui signifie qu'elle est vraiment porteuse d'information *très* importantes.

Malheureusement, enchaîna l'Américain, nous ne pouvons rien faire pour la retrouver à l'heure

1. Hotel OKURA.

actuelle. J'ai alerté tout le monde, y compris un NOC qui se trouve à Shanghai et dont j'avais donné le pseudo à Lou Zhao. J'espère qu'elle va le contacter. Je serai prévenu aussitôt.

– Il a la possibilité de la faire sortir de Chine ?

– Je n'en sais rien, mais on peut la débriefer là-bas, au besoin.

Et la laisser tomber ensuite. Toujours l'élégance de la CIA. Malko ne releva pas.

– Qu'attendez-vous de moi ?

– Que vous mainteniez un contact étroit avec cette Maïko Nabu. Si elle sort de Chine, Lou Zhao va certainement la contacter. A Tokyo, elle habite souvent chez elle.

– C'est tout ?

– Pour l'instant oui.

Malko faillit lui dire que ce n'était pas la partie la plus désagréable de sa mission, mais s'abstint.

– Je vais repasser ce soir à la boutique de Maïko, mais j'ai surtout un rôle passif pour l'instant…

– Ce ne sera pas toujours le cas. Si Lou Zhao réapparaît, cela va devenir Rock and Roll. Le Guoanbu a un poste important ici et ils feront tout pour la récupérer. Or, j'ignore s'ils connaissent l'existence de Maïko.

» Soyez prudent et tâchez de savoir si elle est surveillée.

– Elle ne viendra pas à l'ambassade ?

– Je l'ignore. Rappelez-moi dès que vous saurez quelque chose.

Le chef de Station accompagna Malko jusqu'à l'ascenseur et précisa d'une voix grave.

– Cette affaire est classée A+++ par la Maison. C'est-à-dire que la Maison Blanche s'y intéresse.

La boutique d'antiquités de Fang Bang Lu était fermée : Lou Zhao n'osa pas se renseigner auprès des autres commerçants et repartit, folle d'angoisse.

Elle était coincée à Shanghai avec tout le Guoanbu à ses trousses.

CHAPITRE V

En poussant pour la seconde fois de la journée, la porte de la boutique de Maïko Nabu, Malko s'attendait presque à trouver Lou Zhao.

Hélas, Maïko Nabu était seule à sa caisse, en train de faire les comptes de la journée. Elle leva la tête et lança.

— Je n'ai aucune nouvelle de Lou. Maintenant, il faut attendre demain.

Malko se dit qu'il était absolument idiot de dîner seul et se risqua.

— Maïko, voulez-vous dîner avec moi, je suis seul, nous pourrons bavarder, vous me montrerez un peu Tokyo.

La jeune femme parut surprise et puis ravie.

— C'est une bonne idée ! approuva-t-elle. Moi non plus je n'ai rien à faire et si vous voulez bien m'attendre quelques instants, je vais aller me changer.

Plantant Malko, elle disparut dans un petit escalier en colimaçon, qui devait mener à une sorte de soupente. Elle redescendit dix minutes plus tard, habillée d'une façon infiniment plus sexy. Des bas noirs, une jupe très courte, un chemisier moulant et un maquillage un peu plus accentué.

– Vous êtes magnifique ! ne put s'empêcher de dire Malko.

Maïko eut un petit rire de gorge et ne répondit pas. Quand ils se retrouvèrent dans la rue, elle demanda.

– Où allons-nous dîner ?

– Si vous voulez bien, dit Malko, je vous emmène dans un très bon restaurant que m'a fait connaître votre ami Théo, à côté du Palais Impérial.

– Oh non ! fit Maïko, je connais. C'est beaucoup trop chic là-bas. Je connais un restaurant amusant pas loin d'ici, qui est plus simple, le Wanaziya.

– Allons pour le Vanaziya !

Malko se laissa guider dans les petites rues de Shibuya, découvrant un restaurant plein à craquer, bruyant, avec un fond musical assourdissant. Un garçon les accueillit, les laissa se déchausser et les conduisit jusqu'à un tout petit box en contrebas d'une énorme table centrale rectangulaire. Il faisait une chaleur de bête. Maïko ôta sa veste et Malko eut une vue encore plus complète sur sa magnifique poitrine. Toutes les Japonaises s'offraient de nouveaux seins, c'était un must, encore plus que de se débrider les yeux.

– Qu'est-ce que vous voulez manger ? demanda-t-elle.

– Je ne suis pas très familier avec la cuisine japonaise, avoua Malko. J'aime bien les sashimis.

Maïko pouffa et laissa tomber.

– Les sashimis c'est juste pour manger dans un
bar ! On va commander quelque chose de meilleur.

Elle commanda en japonais et traduisit pour
Malko.

– Ce sera des brochettes de yakitori et de l'unagi.

– Qu'est-ce que c'est que l'unagi ?

– C'est de l'anguille grillée sur du riz. C'est très
bon, vous verrez.

Après avoir dégusté les deux plats japonais,
Malko dut s'avouer que ce n'était pas trop mauvais.
Ils en étaient à leur deuxième pichet de saké tiède et
Maïko commençait à s'animer. Malko distinguait
les pointes de ses seins à travers le jersey orange de
son pull et ça commençait à le troubler.

Comme toutes les Japonaises, Maïko n'aimait pas
passer beaucoup de temps à table, surtout dans une
brasserie. Dès qu'elle eut bu son thé vert, Malko
demanda l'addition et ils se retrouvèrent dans la
petite rue.

– Je ne vais pas trouver de taxi ici, remarqua-t-il.
Où est-ce que je pourrais en trouver un ?

Maïko Nabu lui jeta un regard en coin.

– Vous êtes pressé de rentrer ?

– Non, pas vraiment.

– Eh bien, venez boire un peu de saké à la
maison. Comme ça, nous pourrons attendre au cas
où Lou Zhao téléphonerait.

Sa voix était parfaitement naturelle, pourtant Malko sentit des ondes qui ne trompaient pas. La belle Maïko avait très envie de se faire baiser. Après les photos qu'il avait visionnées, cela ne l'étonnait pas vraiment.

– Eh bien, je vous suis ! dit-il.

Aussitôt, elle s'accrocha à son bras et ils partirent dans les rues sombres. Malko se demanda si chez elle, il n'allait pas retrouver celle qu'il cherchait : Lou Zhao. Après tout, si elle était arrivée entre le moment où le magasin était fermé et la fin du dîner, elle ne savait pas où se trouvait sa copine. Evidemment, il y avait les portables, mais on ne sait jamais.

Maïko Nabu héla un taxi et sourit à Malko. Un peu embarrassée.

– C'est assez loin, dans le district de Dogenzaka. Dans une rue « chaude » : il n'y a que des « love hotels » et des restaurants. Cela ne vous gêne pas ?

– Pas le moins du monde, assura Malko.

**

Jeffrey Fox faisait craquer la peau caramélisée du canard enrobée d'une petite crêpe sous ses dents, avec un plaisir sensuel.

Le restaurant Da-Dong était vraiment le meilleur de Pékin.

Son vis-à-vis, Wang Quingsin, un des plus riches antiquaires de la capitale chinoise, n'était pas en reste : les Chinois adorent manger. Il avalait ses crêpes préparées par une hôtesse à toute vitesse, arrosées de vin chinois. Pourtant, il était maigre comme un clou... Avec ses lunettes cerclées d'écaille, ses cheveux noir de geai et son costume sombre, il ressemblait aux hauts fonctionnaires qui ne se déplaçaient qu'en Audi 8. Ce qu'il avait été d'ailleurs. Vice-Conservateur du Musée de Pékin. Membre du Parti, il avait démissionné pour se mettre à son compte : antiquaire. Certes, il n'avait pas de boutique, mais un grand appartement, gorgé de trésors. Grâce à ses connexions dans le monde de l'Art, il était à même de trouver les pièces les plus rares. Celles qui, justement, ne devaient *théoriquement*, pas sortir de Chine.

Jeffrey Fox était un de ses meilleurs clients. En effet, il représentait un grand antiquaire new-yorkais, Barnes & Thomson, qui écoulait sur un marché américain avide de chinoiseries, des œuvres d'art à des prix fabuleux.

Le problème, évidemment, c'était de les faire sortir de Chine. Wang Quingsin était à tu et à toi avec la douane et savait faire passer les liasses de billets d'une main à l'autre discrètement. Son appartenance au Parti facilitait bien les choses. Quant à Jeffrey Fox, il avait d'autres filières, grâce à la Triade *Sun Yee On*, qui s'était spécialisée dans la contrebande d'êtres humains et d'objets d'art.

Le Chinois rota, satisfait : il ne restait plus rien du canard laqué. Ou du moins, de sa peau. On leur apporta la viande délicatement assaisonnée avec des nouilles craquantes. De nouveau, l'antiquaire se jeta dessus.

Enfin, ils terminèrent par un potage aux nids d'hirondelles que l'antiquaire but presque d'un trait. En Chine, on terminait par la soupe.

Prudent, Jeffrey Fox n'avait pas encore parlé affaire. Il ne fallait pas mélanger les bonnes choses.

Après s'être resservi de thé, il laissa tomber d'un ton égal.

– Je crois que j'ai un acheteur pour votre vase Wei Gong.

– Combien ?

– 200 000 dollars. Quelqu'un de très sérieux.

– Ce n'est pas très cher pour une pièce pareille, remarqua Wang Quingsin. Elle était destinée au Musée de Pékin.

En réalité, à 150 000 dollars, il aurait embrassé Jeffrey Fox sur la bouche. Le vase en jade vert, daté de 1785 n'avait pas une valeur inouïe en Chine.

Ce dernier sourit.

– Je suppose qu'il y a des frais d'envoi ?

Une façon pudique de chiffrer les différents back-chichs donnés aux fonctionnaires facilitant l'exportation clandestine des œuvres d'art.

Le Chinois demeura impassible.

– 80 000 dollars environ, laissa-t-il tomber.

– Je vais transmettre votre offre à son propriétaire, dit-il. Le paiement s'effectuera où ?

– Où vous voulez, dès réception de la pièce.

– Bien, apprécia Wang Quingsin. Je vous appelle dans les quarante-huit heures.

Jeffrey Fox avait déjà demandé l'addition, lorsque son portable couina. Il avait un SMS. Il le lut et releva la tête.

– C'est mon associé de New-York, dit-il. Il a un client qui cherche une paire de vases Ming, dans les tons roses. Il est prêt à les payer très cher.

L'antiquaire secoua la tête.

– C'est pratiquement introuvable. Et si on se fait prendre, on peut être fusillé.

Jeffrey Fox sourit et glissa une grosse liasse de billets roses dans l'addition. Pékin était bon marché, sauf les restaurants de luxe.

– Je suis sûr que vous trouverez, assura-t-il, vous faites des miracles. Je dois repartir à Shanghai, mais je serai de retour d'ici deux ou trois jours.

Ils se séparèrent à la sortie du restaurant. Dans le taxi qui le ramenait à son hôtel, Jeffrey Fox se repassa le SMS, perplexe. C'était la première fois qu'il en recevait un semblable et cela allait poser des problèmes. En effet, ce n'était pas une véritable commande d'objet d'art, mais un SOS signifiant qu'un agent clandestin de la CIA en Chine était en détresse et avait besoin de ses services.

**

Jeffrey Fox avait été recruté par la CIA dès la fin de ses études de langues, à Columbia University. Avec beaucoup d'élégance et une proposition alléchante.

Il avait étudié l'histoire de l'Art et parlait déjà un peu mandarin. Son rêve était d'ouvrir une galerie d'Art à Pékin mais il n'avait pas le premier sou pour le faire.

Ce qu'on lui proposait était simple : il allait rejoindre « officiellement » un grand marchant d'art : Barnes & Thomson. Celui-ci l'enverrait en Chine pour un séjour de longue durée où « on » financerait un magasin d'art, afin d'assurer sa légende. En même temps, il se livrerait réellement au commerce d'œuvres d'art chinoises, très recherchées aux Etats-Unis.

Les Chinois ne devraient pas se méfier, car l'activité serait réelle. En plus, Jeffrey Fox, avec ses longs cheveux réunis en catogan, son visage émacié et ses grands yeux bleus naïfs, n'avait pas le profil d'un homme du Renseignement.

Comme le disaient les Chinois, il était devenu un « poisson en eau profonde ». Son rôle consistait à « tamponner » des gens dans le monde politique et financier et à recueillir des informations de terrain.

Après quinze ans, ses employeurs étaient entièrement satisfaits. Jeffrey Fox avait gagné beaucoup

d'argent et il parlait parfaitement chinois. En plus,
comme il achetait *réellement* les objets, il s'était
créé un important réseau d'antiquaires chinois qui
étaient aussi des informateurs involontaires;
presque tous étant membres du Parti. Il consulta sa
montre. Avec un peu de chance, il pourrait arriver à
Shanghai à la fin de l'après-midi. Ensuite, il n'aurait
plus qu'à attendre, ignorant totalement qui allait le
contacter.

*
* *

Maïko arrêta le taxi dans un éblouissement de
néons. Lorsqu'il en descendit, Malko en eut mal aux
yeux, on y voyait presque comme en plein jour.
Chaque restaurant, chaque « love hotel », arborait
sa guirlande de néons multicolores.

La Japonaise ouvrit une porte de bois noir et se
retourna.

– C'est au second, mais il n'y a pas d'ascenseur.
C'est un vieil immeuble.

L'appartement était petit : un grand séjour et une
profonde alcôve, abritant un grand lit très bas.

– Installez-vous ! dit-elle à Malko, je vais chercher du saké.

Elle disparut et revint avec une bouteille et deux
verres, qu'elle posa sur la table basse en face du
canapé jaune.

– Vous m'excusez une minute, dit-elle, je vais
me mettre à l'aise.

Resté seul, Malko regarda la collection de petites boîtes en ivoire et en pierre dure posées sur la table et en prit une.

Surpris : c'était une scène d'un érotisme brûlant gravée dans l'ivoire. Il continua son exploration : toutes les boîtes étaient de la même famille.

Le Kamasoutra.

Il venait de reposer la dernière lorsque Maïko réapparut. Drapée dans un peignoir bleu d'où émergeaient les jambes gainées de bas noirs. En plus, elle était juchée sur des escarpins.

Pas vraiment une tenue décontractée.

Elle se glissa sur le canapé à côté de Malko et but un peu de saké. Gardant le silence.

Son regard le fixait, insistant, avec une petite lueur coquine. Elle se tourna un peu vers lui, et les pans du kimono s'écartèrent, découvrant une cuisse. Si haut que Malko aperçut la lisière d'un bas et une bande de chair nue au-dessus. Instantanément, ses artères se mirent à charrier un gros flot d'adrénaline… Il attendit, mais Maïko ne fit rien pour rabattre les pans du kimono, fixant toujours Malko avec un drôle de sourire.

C'était trop tentant. Il posa la main sur le bas et remonta, suivant la cuisse jusqu'à l'entrejambe. Maïko ne serra pas les jambes pour le stopper : au contraire, elle les ouvrit largement et se laissa aller en arrière. Déjà, Malko la caressait par-dessus le nylon de sa culotte.

De l'autre main, il défit la cordelière du kimono qui s'ouvrit largement, découvrant une superbe guêpière blanche d'où jaillissaient deux seins pointus.

Au même moment, une main se posa sur lui et commença, à travers son pantalon d'alpaga, à le masser, aidant son érection à se développer.

– Caressez-moi ! demanda Maïko d'une toute petite voix.

Malko avait déjà commencé, glissant la main sous le nylon. Il sentit le sexe s'épanouir et la respiration de Maïko s'accéléra. D'elle-même, elle se souleva pour faire glisser sa culotte le long de ses jambes.

Sa tenue était une merveille : la guêpière blanche où étaient accrochés par de fins porte-jarretelles, de superbes bas noirs.

Soudain, sa main se posa sur celle de Malko, pour accélérer son massage. Et, quelques instants plus tard, tout son corps se tendit et elle poussa un bref gémissement, restant ensuite étalée sur le divan, jambes ouvertes.

Puis, elle s'ébroua, se mit debout et prit Malko par la main, l'entraînant vers l'alcôve. Agenouillée sur le lit, elle entreprit de le déshabiller, avec l'habileté d'une infirmière. Quand il fut nu, elle se pencha et enveloppa brièvement son sexe de sa bouche. Plus pour en vérifier la raideur que pour lui donner du plaisir.

Elle se redressa, une lueur d'excitation dans ses yeux sombres et souffla :

— Je peux vous demander quelque chose ?

— Bien sûr.

— Cela vous ennuie si je garde un souvenir de tout ça ?

— Pas du tout.

Le sourire de Maïko s'élargit et elle sauta du lit, gagnant un objet posé à côté du lit, dissimulé par un voile noir qu'elle ôta, découvrant un caméscope monté sur pied et braqué sur le lit !

Elle revint et caressa doucement Malko, stupéfait de cette absence de complexe.

— Prenez-moi par-derrière, demanda la Japonaise, pivotant sur ses genoux. Fort.

De ses deux mains aux ongles rouges, elle s'écartait légèrement les fesses. Trente secondes plus tard, Malko s'enfonçait dans son ventre d'une seule poussée, tenant ses hanches à deux mains. La labourant comme un fou. Bien décidé à se répandre dans ce ventre accueillant. Tout ce qui venait de se passer avait exacerbé son désir.

Il n'eut pas le temps de jouir.

Maïko avait passé une main derrière elle et empoigné son sexe, l'arrachant de sa gaine soyeuse. D'un geste précis, elle en plaça l'extrémité sur l'ouverture de ses reins et dit simplement.

— Là. Fort.

Elle allait au-devant des goûts de Malko. Celui-ci ne se fit pas prier. D'abord, le sphincter résista, puis il céda d'un coup. Malko aurait hurlé de bonheur, serré par la gaine étroite. Si étroite qu'il demanda :

– Je ne te fais pas mal ?

– Non, non, assura Maïko, continue.

Il ignorait qu'elle avait pris la protection de s'enduire d'une gelée de xilocaïne, qui insensibilisait le sphincter dilaté à l'extrême.

L'âme en paix, il se déchaîna. Peu à peu, Maïko ondulait sous lui, essoufflée et consentante. Malko tint le plus longtemps possible, avant d'exploser, avec un cri sauvage.

***

Maïko, toujours en guêpière, tira ses bas et sourit à Malko.

– J'aime bien garder un souvenir de mes meilleurs moments érotiques. Pour moi, faire l'amour est une fête. Quand je mets mes sous-vêtements, je suis déjà au bord du plaisir…

– Tu fais cela avec tous les hommes ? demanda Malko.

– Non, bien sûr. Seulement avec ceux qui me plaisent.

Donc, Théo Stevens lui plaisait. Etranges goûts féminins. La Japonaise s'étira.

– Je dois me lever tôt pour la boutique demain.

– Je vais te laisser, dit Malko.

Comblé.

Maïko remit son kimono pour l'accompagner jusqu'à la porte. Elle leva le visage et déposa un baiser léger sur la bouche de Malko.

– Je suis contente que tu sois venu ce soir… Tu trouveras un taxi facilement dans la rue. Dis simplement au chauffeur « *Hyatt Hotelru. Roppongi* ».

– Je t'appelle demain matin pour savoir si tu as des nouvelles de Lou Zhao, promit Malko.

CHAPITRE VI

Lou Zhao avait plaqué un sourire machinal sur son visage. Ce n'était pas une bonne journée : la seule personne apte à la faire sortir de Chine n'était pas là, et, lorsqu'elle était revenue dans le Hu-Tong, elle avait trouvé son cousin la voix pâteuse et le regard allumé.

Ayant visiblement abusé du vin chinois.

Elle n'avait plus qu'une idée : se coucher et dormir en priant pour que le jour suivant soit meilleur. Elle se fit la réflexion qu'on était le 4 mai, or le 4 est un chiffre maléfique pour les Chinois... Demain, cela irait mieux. Elle et son cousin avaient dîné légèrement d'une épaisse soupe chinoise et de quelques fruits... Lou Zhao n'avait pas faim. Elle bâilla ostensiblement et dit :

– Je crois que je vais me coucher. Je suis fatiguée.

Chuen Ki ne broncha pas, désignant un amas de couvertures et de tissus divers dans un coin de la pièce.

– Pas de problème. Tu prends mon lit, moi je dors là.

Lou Zhao se déshabilla pudiquement, en lui tournant le dos, ne gardant que son slip et son soutien-gorge, puis se tourna sur le côté.

Elle eut un peu de mal à s'endormir, puis plongea dans un sommeil lourd.

Lorsqu'elle se réveilla en sursaut, elle mit quelques secondes à comprendre ce qui l'avait arrachée au sommeil. Jusqu'à ce qu'elle sente, collé à son dos, le corps chaud et musclé de son cousin. D'abord, elle eut une réaction d'horreur et faillit le repousser brutalement. Puis la raison prit le dessus : le brusquer n'aurait servi à rien : il était deux fois plus fort qu'elle…

Il se frottait doucement contre elle et Lou pouvait sentir contre ses fesses un tube dur et chaud : le sexe bandé de Chuen Ki ; malgré son dégoût, elle se dit que, s'il arrivait à se satisfaire de cette façon, c'était un moindre mal. Elle aurait dû savoir qu'il tenterait de lui faire l'amour, mais elle n'avait pas le choix de son domicile : un viol valait mieux qu'une cellule dans une prison du Guoanbu.

Les mouvements s'accéléraient. Soudain, Lou eut une idée qui lui parut bonne. Pour l'aider à jouir, elle se mit à remuer légèrement le bassin.

Ce n'était *pas* une bonne idée…

Chuen Ki eut un sursaut, s'écarta et lui glissa à l'oreille, dans une haleine de vin chinois.

– Tu la veux, hein, ma tige de jade ! Je vais te la mettre partout.

Lou Zhao poussa un cri.

Brutalement, son cousin venait de la retourner sur le ventre, la tête dans le drap. En dépit de ses efforts, il lui arracha sans difficulté son slip, le faisant glisser le long de ses jambes, tandis qu'il la maintenait dans la même position, une main plaquée au creux des reins.

Ensuite, il la lâcha, relevant ses cuisses à deux mains, pour lui faire cambrer le bassin. Et, d'un seul coup, il s'enfonça en elle, droit comme une bielle, avec un soupir de contentement. C'est ainsi qu'il devait violer les fillettes au village.

Lou hurla : elle était sèche comme de l'étoupe et le sexe de son cousin, relativement important.

Déchaîné, il lui prit les hanches à deux mains et se mit à la baiser furieusement ; Peu à peu, sa muqueuse s'humectait et elle souffrait moins. Trop excité, Chuen Ki ne mit pas longtemps à jouir. Aussitôt après, il se laissa tomber sur le côté, avec un soupir ravi. Lou Zhao demeura quelques instants dans la même position, muette de dégoût : à quoi bon protester, son cousin n'en aurait tenu aucun compte. Peu à peu, elle se laissa aller et s'allongea sur le dos, retenant une nausée.

Un bruit la rassura : les ronflements de Chuen Ki. Repu de sexe, il s'était rendormi.

Elle aussi, finit par en faire autant. Lorsqu'elle rouvrit les yeux, le jour pointait. Chuen Ki ne ronflait plus. Ce qui l'inquiéta. Raidie, elle essaya de demeurer strictement immobile. Et soudain, ce qu'elle craignait se produisit : comme un somnanbule, Chuen Ki s'était dressé, d'abord sur un coude, comme s'il l'observait. Cette immobilité ne dura pas longtemps. D'un coup, il se laissa tomber sur elle, l'écrasant de tout son poids.

D'un coup de genou, il lui écarta les jambes : elle était complètement impuissante.

– Non, Chuen Ki, je ne veux pas, cria-t-elle.

Quelques secondes avant qu'il ne s'enfonce dans son sexe, avec la même brutalité.

Les jambes écartelées, Lou subissait. La tête dans son cou, Chuen Ki haletait en prononçant des obscénités.

Soudain, il descendit un peu et elle sentit deux mains puissantes se refermer autour de ses seins, les malaxant comme on fait avec les pis d'une vache. Et en tirant un plaisir visible. Il continua jusqu'à ce qu'il explose en elle.

Lou était tétanisée : violée deux fois dans la même nuit, c'était trop…

Elle se leva du lit, sans un mot, enjamba Chuen Ki et alla s'effondrer là où il avait commencé sa nuit. Sans parvenir à se rendormir.

Lorsque le jour se leva, elle avait les yeux ouverts comme une chouette…

Comme si de rien n'était, Chuen Ki se leva et annonça :

– Je vais préparer le thé, petite sœur.

Elle se rendit compte alors qu'il était persuadé qu'elle avait été plus ou moins consentante…

Bien sûr, elle aurait pu se rhabiller, prendre sa valise et partir. Mais, pour aller où ? Elle ne connaissait personne à Shanghai et les hôtels lui étaient interdits, à cause du Guoanbu.

Elle finit par se lever, priant de toutes ses forces pour que l'homme de la galerie d'art soit là. Sinon, elle était condamnée à rester le jouet sexuel de son cousin.

***

Jeffrey Fox écarta le rideau métallique de la boutique, alluma et ôta l'alarme. Shanghai était une ville sûre, mais il y avait quand même des cambriolages… A peine avait-il ouvert qu'un groupe de touristes japonais s'engouffra dans le magasin. Comme il parlait à peu près japonais, il put leur demander ce qu'ils voulaient. C'était facile : du beau et du pas cher. L'Américain retint un sourire. C'était exactement ce qu'il vendait. Des copies d'objets anciens, fabriquées en série par les usines d'Etat. Ce qui laissait de confortables marges.

Il avait calculé que le fameux cheval Tang avait dû être reproduit à un million d'exemplaires.

Les Japonais firent une razzia dont Jeffrey Fox confia l'emballage à une jeune étudiante chinoise qui lui donnait un coup de main et perfectionnait son mandarin. Ensuite, ce fut le calme plat.

Il était intrigué : en quinze ans, c'était la première fois que la CIA lui demandait l'exfiltration d'un agent, une tâche presque impossible. Il fallait que ce soit quelqu'un de très important. Lui ne ferait rien qui puisse mettre en danger sa couverture : s'il ne trouvait pas de solution, il préviendrait la Centrale.

Une demi-heure plus tard, une femme poussa la porte de la boutique. Les cheveux courts, légèrement maquillée, plutôt jolie. Et timide. Elle s'approcha de Jeffrey Fox et annonça d'une voix mal assurée.

– Je vais aux Etats-Unis et je voudrais apporter à une amie une paire de vases XVIIIe violets. Je n'ai pas un gros budget. Il paraît que je dois en parler à un certain Max.

Jeffrey Fox ne broncha pas. C'était elle, la personne qu'il devait exfiltrer. Pourtant, elle semblait plutôt effacée. Cependant, il n'y avait pas d'erreur possible : elle avait fourni son code l'identifiant comme un agent de la CIA en détresse. Il répondit d'un ton égal.

– Je n'ai pas cela en magasin, mais je peux sûrement le trouver. Laissez-moi votre portable.

– Non, je repasserai, dit la jeune femme.

Prudente. Jeffrey Fox apprécia. Comme elle ouvrait la porte pour sortir, il cria à son employée.

– Je vais prendre un thé, je reviens.

Il partit sur les talons de sa « cliente » et lui glissa :

— On va aller prendre un thé dans un endroit sûr.

Il se méfiait du Guoanbu. Il était tout à fait possible qu'ils aient mis des micros dans son magasin. Juste parce qu'il était étranger. Ils avaient perfectionné et affiné le système soviétique, en y ajoutant la méticulosité chinoise. Une incroyable toile d'araignée, sans cesse améliorée.

Ils marchèrent jusqu'à une petite maison de thé minable, à cinquante mètres. L'été, il y avait des tables sur le trottoir mais l'hiver, on se serrait à l'intérieur. Ils se tassèrent dans un coin. Il n'y avait qu'une carte en chinois. Deux clients solitaires lisaient le *Remmin Ribao*. [1]

Jeffrey Fox fixa sa visiteuse.

— Comment vous appelez-vous ?

— Zhao. Lou.

— Vous pouvez me dire pourquoi vous devez quitter la Chine clandestinement ?

— Non, avoua-t-elle d'une voix plate. En plus, cela vous mettrait en danger.

— Le Guoanbu sait où vous êtes ?

— Non, sinon, je ne serais pas là. Ils pensent que je suis en Chine mais ignorent où.

— Ils vous veulent vraiment ?

— Oui. Je dois absolument quitter la Chine. Le plus vite sera le mieux.

1. Quotidien du Peuple

– Où logez-vous, à Shanghai ?

– Chez un cousin du même village, dans un *hu-tong*. Il n'a pas de téléphone et personne ne le connaît.

Jeffrey Fox hocha la tête, approbateur.

– Et votre portable ?

– Je l'ai démonté. Pour qu'on ne puisse pas me repérer.

L'Américain était de plus en plus rassuré. Mais, prudent.

– OK, dit-il, je vais voir ce que je peux faire. Vous connaissez bien Shanghai ?

– Non.

– Vous avez entendu parler du Burid ?

– Oui, bien sûr.

– Retrouvez-moi demain à sept heures au Bar Rouge sur Zhang Shang Dongli. Tous les chauffeurs de taxi connaissent.

– Seulement demain ?

Donc, encore une nuit à passer avec son horrible cousin. Jeffrey Fox sourit.

– Je ne fais pas de miracle.

Il paya et ils se séparèrent sur le trottoir. Avant de la quitter, l'Américain ajouta.

– Demain, habillez vous de façon sexy… Le Bar Rouge est plein de Chinoises qui cherchent à attraper un mari étranger. Vous passerez inaperçue. Et si un homme vous aborde, ne l'envoyez pas promener. Les barmen trouveraient cela suspect et il y en a un au moins qui est un indicateur du Guoanbu.

– Je ferai ce qu'il faut, promit Lou Zhao.

Décidément, rien ne lui serait épargné. Après le double viol de la nuit précédente, il lui fallait se déguiser en pute. Heureusement, elle avait ce qu'il fallait.

***

Lorsque Malko appela Maïko Nabu à sa boutique, elle avait toujours le même gazouillis rassurant, mais ne savait rien de nouveau sur Lou Zhao.

– Je pense qu'elle a remis son voyage, conclut-elle. Elle a peut-être perdu son portable…

– Peut-être ! confirma Malko.

Sans y croire. Il allait raccrocher lorsque Maïko ajouta :

– Si vous voulez, je suis libre ce soir pour dîner….

La soirée de la veille lui avait visiblement laissé une bonne impression. Seulement, Malko ne voulait pas trop être vu en sa compagnie. Vis-à-vis du Guoanbu de Tokyo, il était encore « vierge », autant le rester.

– Avec plaisir, dit-il. Je ne sais pas si j'aurai le temps de venir à Shibaya. Pourriez-vous me retrouver au Hyatt, à Roppongi ? Au bar du premier.

– Bien sûr.

Cinq minutes plus tard, le téléphone fixe sonna. Théo Stevens.

– Je peux vous voir quelques instants ? demanda-t-il.

– Montez, proposa Malko.

Lorsqu'il pénétra dans la suite de Malko, une lueur affolée flottait dans les yeux de batracien du gros homme.

– Tout à l'heure, j'ai été à Shibaya avec ma chauffeuse, dit-il. C'est plein de Chinois….

Malko sentit une coulée glaciale le long de sa colonne vertébrale.

– Comment ça ?

– Ici, au Japon, on les reconnaît facilement. J'en ai compté une demi-douzaine, dont deux femmes déguisées en touristes. Ils arpentent les rues, entrent dans les boutiques et ont l'œil à tout.

Donc, le Guoanbu avait découvert le lien entre Lou Zhao et Maïko Nabu.

– Vous croyez que Maïko s'en est aperçue ?

– Je ne sais pas. Qu'est-ce qu'on fait ?

– On gère, laissa tomber Malko. Avec la Station, restez en dehors du coup. Vous croyez que les services japonais ont repéré ces Chinois ?

– Il y a peu de chances. Ils sont tellement atomisés qu'ils ne se préoccupent que des grosses affaires : celle-ci est sino-américaine. Donc, ils n'y toucheront pas.

– Je dois dîner ce soir avec Maïko, dit Malko. J'espère qu'ils ne me repèreront pas.

– Ils vous repèreront. Il ne faut pas, simplement, qu'ils vous lient à cette affaire.

**

La réunion se tenait au 14 de l'avenue Dong-chang'an, à deux pas de la place Tien An Men, au siège du Souganbu, et du Goangbu.

Zhou Yong Kang, le N° 3 de l'appareil politique chinois, présidait avec, devant lui, une épaisse chemise marquée du caractère *NEIDU*[1].

A l'autre bout de la table, se trouvait un gros homme à lunettes et aux traits marqués : Geng Hiricheng, le patron du Goangbu. Entre les deux, Ming Bujong, responsable du Guoanbu à Pékin, au 1er Bureau. Puis, Dong Shungle, dirigeant du 2ème Bureau chargé de Shanghai. Plus Li Kenyun, chef du 4ème Bureau, l'équivalent de la Division technique de la CIA.

Il y avait aussi un représentant du 7ème Bureau, celui qui organisait les « opérations spéciales ». Clandestines et sanglantes.

Zhou Yong Kang ouvrit la discussion.

– Quelqu'un sait-il où se trouve le capitaine Lou Zhao aujourd'hui ?

Un silence mortel lui répondit.

Geng Hiricheng, le patron du Goangbu, rompit le silence.

1. Secret.

– Non, avoua-t-il, en dépit de nos efforts. Nous pensons qu'elle se trouve toujours en Chine.

– Vous pensez ! fit d'un ton ironique Zhou Yong Kang. J'ai besoin de certitudes et d'une méthode pour la retrouver…

Dong Shungle, le patron du 2ème Bureau chargé de l'Etranger, ouvrit la bouche.

– Nos agents ont retrouvé, grâce aux appels donnés par le portable de Lou Zhao, la trace d'une amie de Lou Zhao à Tokyo. Une certaine Maïko Nabu, qui tient une boutique dans le quartier de Shibaya. Elle a appelé plusieurs fois le portable de Lou Zhao.

C'est lui qui truffait les ambassades chinoises à l'étranger d'agents du Guoanbu, ainsi que les bureaux de « *Xinhua* » [1]. Il ajouta.

– Nous avons beaucoup de monde à Tokyo. Bien entendu, ils sont alertés.

– Que font-ils ?

– Ils surveillent Maïko Nabu. A sa boutique et chez elle. On ne peut pas faire plus pour l'instant.

Zhou Yong Kang parcourut la table du regard et martela d'une voix froide.

– Nous devons retrouver Lou Zhao. C'est un ordre du Parti !

Ce qui est admirable c'est qu'aucun des participants à cette réunion ne savait *pourquoi* le Guoanbu recherchait avec tant de moyens l'ex-capitaine de l'ALP.

---

1. Agence de Presse « Chine Nouvelle ».

Et personne n'avait posé la question.

– Tenez-moi au courant, conclut le N° 3 du Parti. Et concentrez-vous sur Tokyo. Le *Naicho* connaît vos agents ?

– Certains, probablement, pas tous.

Déjà debout, Zhou Yong Kang ajouta d'une voix égale :

– Bien entendu, dès que cette personne est localisée, elle doit être éliminée immédiatement.

CHAPITRE VII

Jeffrey Fox pénétra dans le restaurant la « Perle » du Bond, qui, au déjeuner, refusait du monde. Un endroit tenu par un Français, qui faisait fureur depuis dix ans.

Traversant la salle, il alla s'installer sur la grande terrasse qui offrait une vue imprenable sur Pudong.

Le Bond, qui avait symbolisé pendant un siècle la domination des étrangers sur la Chine, avait connu une longue période de désaffection. Puis, depuis les années 90, la vie était revenue dans le quartier. Toute l'activité de Shanghai se concentrait sur une petite bande de terre, guère plus large que Manhattan : les plus grandes banques chinoises, les banques étrangères, les concessionnaires de voitures de luxe, les grands magasins, la finance.

Pourtant, les purs communistes continuaient à détester le Bond, symbole de la Chine vaincue et occupée.

La personne qu'il attendait était déjà là. Un Chinois effacé, bien habillé, devant un jus de fruit, à une table un peu à l'écart. Jeffrey Fox s'assit en face de lui et les deux hommes échangèrent quelques propos sans importance, en attendant que le garçon vienne prendre la commande de Jeffrey Fox.

Heung Ying occupait l'emploi modeste de clerc dans un grand cabinet d'avocat. Une silhouette et une vie grise.

Seulement, dans son autre vie, Heung Ying était aussi « Tête de Serpent » pour Shanghai de la Triade *Sun Yee On*. Une des plus puissantes organisations criminelles chinoises, spécialisée dans le trafic d'êtres humains, d'œuvres d'art, la prostitution, le jeu, les faux médicaments.

Très peu de gens connaissaient la vérité. La police shanghaienne aurait donné n'importe quoi pour arrêter la « Tête de Serpent » de la Triade de Shanghai, seulement, elle ignorait son identité.

Jeffrey Fox ne perdit pas son temps en formules de politesse.

– J'ai un très beau vase Wei Gong du xviiᵉ, dit-il, je dois le faire sortir de Chine. Combien cela va-t-il me coûter ?

Le Chinois demeura impassible.

– Il a été volé ?

– Non, mais il était destiné à un musée.

– Entre 40 et 50 000…

Dollars, bien entendu. C'était moins que les 80 000 de Pékin.

– C'est raisonnable, approuva l'Américain. Je peux vous le faire parvenir quand ?

– Une semaine. Je vous appellerai.

Cela faisait cinq ans que les deux hommes travaillaient ensemble. Jamais le moindre problème. Jeffrey Fox ignorait tout des filières mais, après avoir remis les objets et l'argent, les œuvres d'art étaient délivrées n'importe où dans le monde.

– C'est tout ? demanda l'homme de la Sun Yee On.

Les deux hommes parlaient chinois, ce qui facilitait bien les affaires. D'ailleurs l'anglais de Heung Ying était rugueux et imparfait.

– Non. J'ai autre chose à exfiltrer.

– C'est gros ?

– Une femme.

Son vis-à-vis ne broncha pas.

– Quelle nationalité ? Chinoise ?

– Oui.

– Une opposante ?

Jeffrey Fox esquissa un léger sourire. C'était un piège. La *Sun Yee On* savait qu'il ne donnait pas dans la philanthropie. Les dissidents étaient très bien dans le *Lao Gai*.

– Non. C'est politique.

– Elle est recherchée ?

– Oui. Par le Guoanbu. Ils ont déployé de très gros moyens pour la trouver.

– Elle est à Shanghai ?

– Oui.

– Vous voulez payer combien ?

– Ce qu'il faudra.

Dans les cas graves, on ne marchandait pas. Le Chinois apprécia et annonça prudemment :

– Cela doit être possible. Je vous donnerai une réponse de principe demain.

– Autre chose, précisa Jeffrey Fox. Cette personne ne doit pas partir de Shanghai. Le Guoanbu a sûrement donné son signalement et le numéro de son passeport à l'aéroport. Il faut qu'elle gagne un autre aéroport international.

– Elle a du sang-froid ?

– Je le pense.

– Elle en aura besoin.

Il se leva et prit congé. Sans même avoir touché à son orangeade.

Jeffrey Fox ne bougea pas : Heung Ying était toujours protégé par des membres invisibles de la *Sun Yee On*. S'ils pensaient qu'il voulait les espionner, ils couperaient tout lien avec lui.

Le Chinois était le seul à pouvoir résoudre son problème. La Sun Yee On avait le bras très long et arrosait de très hauts fonctionnaires, des membres du Parti, des militaires. Elle était presque aussi puissante que le Parti.

L'Américain se leva et gagna la salle à manger : il mourait d'envie de déguster un canard aux huit parfums.

*

Lou Zhao sortit du cinéma, la tête encore bour-
donnante d'images. Elle n'était pas arrivée à se laver
le cerveau. L'idée de revenir chez son cousin la
rendait malade. Elle alla traîner dans la rue la plus
commerçante de Shanghai, Nanjing Lu. Regardant
distraitement les boutiques. Perdue dans la foule
compacte, elle se sentait en sécurité, même s'il y
avait forcément des policiers en civil parmi les
badauds.

Elle se décida enfin à regagner le *Hu-tong*, en
traînant les pieds.

Son cousin semblait d'excellente humeur et le
logis empestait.

– J'ai fait du Kumshi ! annonça-t-il. C'est très
bon.

Du chou fermenté mariné à l'ail. Une horreur…

Plat nord-coréen pas cher.

Lou Zhao s'assit sur le lit. Aussitôt, le cousin vint
lui passer le bras autour des épaules.

– Je suis content que tu restes encore un peu,
fit-il d'une voix trop douce.

En même temps, sa main glissait et caressait la
pointe d'un des seins de sa cousine.

Celle-ci se raidit mais ne dit rien. La nuit risquait
d'être chaude, mais elle ne pouvait rien demander à
personne.

*
* *

Maïko marqua un temps d'arrêt à l'entrée du bar du Hyatt. Puis, après avoir repéré Malko, elle se glissa entre les tables et le rejoignit.

Tailleur strict, bas noirs, maquillée.

D'un geste naturel, elle déboutonna la veste de son tailleur, révélant une guêpière rouge vif. Elle avait mis sa tenue de combat.

Malko regarda vers l'entrée, pour voir si elle était suivie, sans rien remarquer.

– Qu'est-ce que tu bois ? demanda-t-il.

– Ce que tu veux.

– Champagne ?

Le regard de la Japonaise s'éclaira.

– Oh oui, c'est une bonne idée.

C'était universel : tout le monde adorait le champagne, surtout les femmes.

Malko appela le garçon et commanda une bouteille de Taittinger Blanc de Blancs 1999. Autant vivre bien. C'est tout juste si Maïko ne battit pas des mains.

Autour d'eux, il y avait surtout des hommes d'affaires, accompagnés de quelques Japonaises beaucoup moins sexy que Maïko. Celle-ci se mit à boire, avec la délicatesse d'un chat, dégustant chaque bulle.

– Si on dînait ici ? proposa Malko. Il y a un très bon restaurant français.

– Bonne idée, approuva la Japonaise, qui en était à la troisième flûte de champagne. Le restaurant était à moitié vide. Le Comtes de Champagne fut amené à leur table. Maïko se plongea dans la carte.

– Je peux avoir du foie gras ? Je n'en ai jamais mangé.

Vœu facile à exaucer. La commande passée, Malko demanda.

– Tu n'as toujours pas de nouvelles de Lou Zhao ?

– Non, avoua la Japonaise. Elle a dû avoir un problème. Mais j'en aurai sûrement, car nous sommes très liées.

Elle but un peu de champagne et demanda soudain.

– Tu connais *bien* Lou ? Elle ne m'a jamais parlé de toi.

Malko s'attendait à la question. Son insistance intriguait visiblement Maïko.

– C'est normal, reconnut-il, je ne l'ai vue qu'à de rares occasions. Pour la première fois, à Pékin, au bar de l'hôtel Kempinski, à l'occasion d'un cocktail. Elle m'a beaucoup plu, mais je repartais de Chine.

» Je l'ai revue ensuite deux autres fois. La dernière fois, je l'ai invitée à dîner, mais c'est *elle* qui partait pour Tokyo. C'était il y a quatre jours. Comme j'ai insisté, elle m'a donné rendez-vous devant la statue du chien Hachiko, à Shibuya Station et m'a parlé de toi en me disant que je pourrais toujours la joindre par ton intermédiaire.

Maïko sourit.

– Tu es tombé amoureux d'elle ?

Malko tempéra.

– Pas encore…

– Tu ne m'as pas dit ce que tu faisais, continua la jeune femme.

Malko s'attendait *aussi* à cette question.

– Je suis consultant pour la Bayerish Motor Werkher. Nous avons des clients en Chine et au Japon.

Maïko le fixa avec un sourire.

– Mange un peu de foie gras. Tu vas dire à Lou que nous avons fait l'amour ?

– Ce n'est pas absolument utile, fit Malko.

Ils continuèrent leur repas. Quand on apporta l'inévitable thé vert, Malko demanda.

– C'est pour moi que tu as mis cette superbe guêpière ?

Maïko se cabra.

– C'est pour *moi*, que je l'ai mise. J'adore la lingerie. Elle baissa la voix : parfois, seule chez moi, je mets une tenue très sexy et je me caresse.

– Tu ne vis que pour le sexe ! remarqua Malko en plaisantant.

– C'est ce qu'il y a de plus agréable dans la vie, avoua la Japonaise. Mais j'aime que ce soit sophistiqué.

Ils étaient arrivés à la fin du repas. Terminant par des litchis, les desserts japonais étant vraiment très rébarbatifs. Le maître d'hôtel versa dans le verre de Maïko les dernières gouttes de Taittinger Comtes de Champagne 99. Quand Maïko les eut bues, Malko proposa.

— Veux-tu un peu plus de champagne dans ma suite ?

Maïko secoua la tête et dit gentiment.

— Non, ce soir je ne peux rien faire. C'est pour cela que j'étais contente que tu viennes hier. Tu n'es pas déçu ?

— Un peu, avoua Malko, mais je comprends. On se reverra bientôt.

Ce sera pour une autre fois, assura Maïko. Tu me plais beaucoup. Tu as beaucoup de « *Iki* ».

— Qu'est-ce que c'est ?

— Un mélange d'érotisme, d'énergie et de raffinement. Il n'y a pas beaucoup d'hommes qui possèdent cela…

La Japonaise baissa les yeux sur sa montre.

— Je crois que je vais rentrer, j'ai un peu mal au ventre. Je n'aurais pas dû sortir, mais je t'avais promis.

— Je vais te raccompagner.

Maïko était déjà debout.

— Non, non, je vais prendre un taxi.

Il l'accompagna jusqu'à l'ascenseur.

Avant d'entrer dans la cabine, Maïko s'inclina légèrement, à bonne distance.

– Bonsoir, Malko-San.

Au Japon, on n'aimait pas les embrassades en public.

Malko regagna sa chambre, un peu frustré. Il se déshabillait lorsque son portable sonna. C'était Philip Burton, le chef de Station de la CIA.

– Votre amie Maïko traîne toute la Chine derrière elle! annonça-t-il. J'avais mis deux « case-officers » sur ses traces. Ils ont identifié quatre Chinois, deux hommes et un couple. J'espère qu'ils ne vous ont pas repéré comme un adversaire. J'ai peur qu'ils s'attaquent à elle.

– Comment?

– En la piégeant. Ils peuvent truffer de micros son appart, et même sa boutique.

– Vous avez des « dératiseurs » à la Station?

– Oui, mais on ne peut pas envoyer des étrangers; les Chinois surveillant Maïko Nabu, catalogueraient aussitôt Maïko comme agent américain. Il faut que je trouve une solution.

» De toute façon, nous travaillons dans le vide : il n'est même pas certain que Lou Zhao parvienne à gagner Tokyo. Elle est peut-être déjà arrêtée. Nous ne le saurons que beaucoup plus tard. Si nous le savons.

L'ambiance était tendue dans l'unique pièce de Chuen Ki. Lou Zhao et lui avaient dégusté leur

Kumshi en silence. Chuen Ki était en maillot de corps et pantalon de toile, et son regard se portait sans cesse sur sa cousine.

— On va dormir, proposa Lou.

— Bonne idée.

Elle tourna la tête et s'aperçut alors que le lit de fortune posé à terre avait disparu! Son cousin était déjà en train de s'allonger, sur le lit!

— Tu viens? demanda-t-il.

— Je ne veux rien faire, répliqua sèchement Lou Zhao. Tu me dégoûtes.

Chuen Ki éclata de rire.

— Hypocrite! Pourquoi es-tu restée alors? Viens.

Il faisait déjà glisser son pantalon, découvrant un sexe rabougri. Comme Lou Zhao demeurait immobile, tétanisée, il se releva à moitié, la saisit par les cheveux et l'attira vers son ventre. Elle se débattit mais la poigne du jeune homme la maintenait courbée en deux.

— Suce-moi! ordonna-t-il.

En Chine, la fellation n'était pas courante, même chez les prostituées, pour d'obscures raisons culturelles. De toutes façons, Chuen Ki était le dernier homme à qui Lou aurait fait ce cadeau.

Ce dernier s'énerva. Elle sentit une main se refermer autour de sa gorge et son cousin gronda.

— Si tu ne le fais pas, je te tue! Je t'étrangle.

Elle suffoquait déjà. Comprenant que ce n'était pas des paroles en l'air. Les pensées se télescopaient dans sa tête : le dégoût, la peur, la fureur. La haine aussi.

Quand elle fut obligée d'écarter les mâchoires et qu'elle sentit la chair flasque du cousin envahir sa bouche, elle faillit vomir. Il la guidait, une main appuyée sur sa nuque et elle dut s'exécuter, sentant le sexe grandir dans sa bouche.

Très vite, ce fut une tige dure, épaisse et chaude qui l'envahit. Lou Zhao s'attendait à ce que son cousin jouisse mais, bizarrement, il s'arracha de sa bouche.

– Tu sais pourquoi je voulais bander fort ? demanda-t-il. Parce que je vais t'enculer…

Comme elle ne bougeait pas, tétanisée, il essaya de l'installer sur le ventre. Mais Lou Zhao se débattit et parvint à lui échapper.

– Laisse-moi ! hurla-t-elle. Je m'en vais.

Elle était comme folle. Sans même s'habiller, elle fonça sur la porte : verrouillée. Son cousin la regardait en ricanant.

– Tu en fais des manières ! Je suis sûr que tu aimes cela. Viens.

Lou Zhao se retourna. Sa peur avait fait place à une poussée de haine froide, irrésistible. Sans un mot, elle revint vers le lit, sous le regard approbateur de Chuen Ki. Il avait déjà posé une main sur sa hanche quand elle saisit un bouddha de bronze posé sur la table et l'abattit de toutes ses forces sur la tempe du jeune homme.

Chuen Ki retomba en arrière avec un cri de douleur, la bouche grande ouverte. Lou Zhao abattit alors la statuette sur sa bouche, lui faisant sauter toutes les dents de devant et lui écrasant les lèvres. Ensuite, elle continua à taper, sans compter, sans savoir ce qu'elle faisait. Quand elle s'arrêta, la tête de Chuen Ki n'était plus qu'une masse sanglante.

Lou Zhao se laissa tomber sur le lit, la tête dans les mains, sonnée.

Ce n'est qu'un long moment plus tard qu'elle prit conscience de la situation : elle venait de tuer son cousin ! Or, il lui était impossible de quitter cet appartement tant que "Max" n'aurait pas organisé son exfiltration. Elle allait devoir vivre avec le cadavre de l'homme qu'elle avait assassiné.

CHAPITRE VIII

Philip Burton fit arrêter sa Ford devant l'immeuble sévère en pierres grises abritant les bureaux du Premier ministre, dans le quartier de Nagatacho. A la réception, il annonça qu'il allait au sixième étage et donna son nom. La Japonaise de la réception lui donna un badge et lui indiqua l'ascenseur de gauche.

Au sixième, se trouvait le *Naicho*[1], le Service de Renseignement Extérieur du Japon. Une hôtesse l'attendait à la sortie de l'ascenseur et le conduisit au bureau de Kamakura Sadana, le responsable du Service.

Un Japonais affable et pro-américain, qui accueillit le chef de Station de la CIA avec les courbettes habituelles. L'invitant ensuite à prendre place en face d'une table basse où fumaient déjà des tasses de thé vert.

Pendant quelques minutes, les deux hommes se plongèrent dans leur thé, cérémonie inévitable.

1. Contraction de Naikaku Juho Chase Shitsu.

Après avoir reposé sa tasse, le Japonais demanda alors.

– Philip-san, que puis-je faire pour vous ?

– Kamakura-san, dit-il, je suis venu vous demander un service, répondit l'Américain.

Le Japonais hocha la tête avec un sourire.

– Si je peux vous le rendre, ce sera un honneur immense pour moi.

– Il s'agit d'une affaire de micros.

Le sourire s'effaça.

– Philip-san, vous *savez* que je ne peux pas sous-traiter pour votre Agence, même avec toute l'amitié que j'ai pour vous. D'ailleurs, la Constitution m'interdit d'opérer sur le territoire japonais.

Philip Burton ne se troubla pas et précisa.

– Kamakura-san, je connais vos contraintes, mais il s'agit d'un cas un peu spécial. Il ne s'agit pas de *poser* des micros, mais de vérifier s'il y en a dans un certain appartement. Celui d'une citoyenne japonaise.

Le chef du *Naichu* ne dissimula pas sa surprise.

– Vous n'avez pas de techniciens pour cela ?

– Si, bien sûr, répliqua Philip Burton, mais nous ne pouvons pas les utiliser. Cette citoyenne japonaise est mêlée involontairement à l'exfiltration d'une dissidente chinoise qui doit atterrir dans son appartement. Or, nous avons découvert que les gens du Guoanbu rôdent autour d'elle. Les connaissant, je voudrais m'assurer qu'ils n'ont pas « sonorisé » son appartement. Ce qui pourrait avoir des conséquences très graves.

» Or, les Chinois ignorent que nous avons des liens avec cette personne qui vit à Shibuya. S'ils voient des étrangers s'intéresser à son appartement, ils vont tout de suite comprendre…

Le Japonais but une gorgée de son thé vert et laissa tomber.

– Je comprends, mais je n'ai même pas les gens pour cela, même si je le voulais.

– Kamakura-san, vous n'avez pas une idée? insista l'Américain. C'est important.

En insistant ainsi, contrairement aux usages du pays, il savait où il allait…

Impressionné par sa détermination, Kamakura Sadana demeura muet, but un peu de thé et annonça d'une voix hésitante.

– Il faudrait que vous demandiez au *Koancho* [1]. Eux, ils ont des équipes pour cela.

Philip Burton secoua la tête.

– Kamakura-san, vous savez bien que si *je* leur demande, ils m'enverront promener… Si c'est vous, c'est différent.

Le Japonais se recroquevilla. Piégé. L'amitié qui le liait à Philip Burton lui interdisait de l'envoyer promener. En même temps, l'idée de demander ce service au patron du *Koancho* l'embarrassait.

---

1. Equivalant japonais de la D.S.T.

Philip Burton respecta son silence, lui laissa le temps de boire un peu de thé… Jusqu'à ce que Kamakura Sadana dise d'une voix mal assurée :

– Philip-san, au nom de notre grande amitié, je veux bien essayer, mais je ne garantis rien.

– Vous êtes vraiment un ami sûr, fit l'Américain chaleureusement. C'est formidable. Vous me rendez un grand service.

– Je ne vous garantis rien, répéta le Japonais, mais je vais essayer. Je vous tiens au courant.

**

Lou Zhao pénétra dans le « Bar Rouge », mal à l'aise et morte de timidité. Tout de suite assourdie par l'orchestre philippin au son duquel des couples se déhanchaient sur de la musique électro.

La journée avait été une horreur. Elle avait tenté de débarrasser le lit du cadavre de son cousin, sans y parvenir : il était trop lourd. La fade odeur du sang commençait à la prendre à la gorge et elle avait recouvert le cadavre d'une toile.

Heureusement qu'il ne faisait pas chaud…

L'idée de partager ce logement avec un mort la glaçait.

Un garçon s'avança vers elle, la jaugea d'un coup d'œil et l'emmena à une petite table ronde, avec une vue magnifique sur la tour *Jinmao* se dressant de l'autre côté de la rivière, à Pudong le plus haut édifice de Shanghai.

La Chinoise arborait une robe fendue et moulante, très serrée à la taille, avec des bas noirs et des escarpins. Elle vit que plusieurs autres tables étaient occupées par des filles plus jeunes qu'elle, très maquillées et vêtues sans modestie, qui lui jetèrent des regards totalement dépourvus d'aménité…

Lou Zhao commanda une Tsing-Tao[1] et regarda l'immense bar, auquel étaient accoudés pas mal d'hommes seuls et quelques couples.

Soudain, elle vit un consommateur – un *gaijin* – glisser de son tabouret et gagner la table d'une des filles seules qui l'accueillit avec un sourire carnassier. Après quelques instants de conversation, elle le suivit au bar.

Lou Zhao ne toucha pas à sa Tsing-Tao, elle avait la bouche trop sèche. « Max » n'était pas là. Le temps passait. Quand elle regarda sa montre, elle réalisa qu'il était six heures trente. Elle commença à s'angoisser. Sans lui, Shanghai était une impasse mortelle. Puis, un quart d'heure plus tard, elle vit apparaître sa silhouette longiligne et ses cheveux longs. L'Américain balaya la salle du regard et s'installa à une table à côté du bar. Sans un regard pour Lou Zhao qu'il ne pouvait pas ne pas avoir vue.

Celle-ci attendit, nouée.

Cinq minutes, dix minutes.

Enfin, son pouls s'emballa : « Max » venait de se lever et se dirigeait vers les tables des filles seules.

1. Bière chinoise.

Il fit semblant d'en dévisager deux ou trois puis s'arrêta à celle de Lou Zhao.

Elle était déjà debout.

– Passivite !fitl'Américainàvoixbasse.Contrôlez-vous.

Elle ne respira qu'une fois installée en face de l'Américain.

– Qu'est-ce que vous buvez ? demanda-t-il.

– Une coupe de champagne.

Ce qu'elle commandait à l'hôtel Kempinski de Pékin lorsqu'elle était au bar avec des amis. « Max » prit un whisky.

– Vous avez du nouveau ? demanda-t-elle d'une voix tremblante, après avoir bu un peu de champagne pour se donner du courage.

– Oui.

– Je vais pouvoir partir ? Quand ?

Les yeux bleu pâle de l'Américain se teintèrent d'ironie.

– Ce n'est pas aussi facile que cela. J'ai un contact qui a accepté le principe de votre exfiltration. Mais il faut maintenant organiser la logistique. C'est ce qui est le plus difficile.

– Cela va prendre beaucoup de temps ?

– Je l'ignore. Cela ne dépend pas de moi. Quelques jours.

Devant les traits défaits de Lou Zhao, il demanda :

– Vous avez un problème ? Je pensais que vous étiez logée ?

Des larmes se mirent à couler silencieusement sur le visage de la Chinoise, et sans pouvoir se retenir, elle raconta ce qui s'était passé avec son cousin.

« Max » l'écouta, impassible et laissa tomber.

— C'est fâcheux, mais je crains que vous ne soyez obligée de rester avec votre cousin encore quelque temps.

— Vous ne pouvez pas me loger ?

L'Américain lui jeta un regard glacial.

— Lou, j'ignore pourquoi la Maison veut vous faire sortir de Chine et je suppose que c'est *très* important, mais il y a des risques que je ne peux pas prendre. J'ai échappé jusqu'ici à l'attention du Guoanbu et je veux que cela se prolonge ; vous exfiltrer est déjà une opération presque impossible. Ne demandez pas plus.

La Chinoise se tint coite et acheva sa flûte de Taittinger brut.

— Quand saurez-vous ? demanda-t-elle.

— On va me contacter. Vous avez un téléphone ?

— Non, j'ai démonté mon portable.

— Alors, revenez ici dans quarante-huit heures. Même heure. Je ne veux pas qu'on vous voie trop souvent à la boutique.

Il avait déjà appelé le garçon et se tourna vers Lou Zhao.

— Vous avez besoin d'argent ?

— J'en ai un peu.

— OK, je vais vous en donner. Nous allons partir ensemble, comme si je vous avais draguée.

Elle le suivit. Dès qu'ils furent dans Zhongchang Dong Li, il tira de sa poche une liasse de billets roses de 100 yuans et la fourra dans la main de Lou Zhao.

– Sortez le moins possible, recommanda-t-il ; il faut éviter les mauvaises coïncidences.

Il monta dans un taxi et Lou Zhao resta figée, ne sachant que faire. Les prochains jours allaient être un cauchemar.

**

Ki Chuwen, le Numéro 2 du Guoanbu à Tokyo relut le rapport qu'il envoyait à Pékin avant de le passer dans le fax crypté. Il n'avait rien à se reprocher. Une surveillance étroite et permanente avait été organisée par ses soins autour de Maïko Nabu. Rien de ce qu'elle faisait ne pouvait échapper au Guoanbu. D'ailleurs, sa vie était simple : de chez elle à sa boutique, avec quelques sorties. La veille au soir, elle avait dîné au Hyatt avec un inconnu, probablement un touriste, et était rentrée chez elle. L'homme n'avait pas encore été identifié, mais ne semblait pas avoir d'importance.

Il ne manquait qu'une chose : Lou Zhao. Tout ce piège sophistiqué ne servirait à rien si elle ne se montrait pas.

***

Malko se fit annoncer à Philip Burton par un des « marines » de garde à l'ambassade américaine. Une demi-heure plus tôt, le chef de Station de la CIA l'avait convié à déjeuner à l'ambassade.

La secrétaire à la poitrine imposante et aux lunettes épaisses, des hublots de sous-marins, vint le récupérer pour l'emmener au quatrième étage.

L'Américain l'accueillit avec un sourire.

– J'ai pu avoir une petite salle à manger. On sera tranquilles.

Effectivement, c'était une petite pièce rectangulaire avec une table ronde et un serveur silencieux en blanc. Le menu était sur la table : Caesar's salad et New-York steak. Du pur américain... Philip Burton goûta le vin, reposa son verre et lança à Malko.

– L'appartement de Maïko Nabu a été sonorisé par le Guoanbu. Il y a deux micros dans le living, deux dans la chambre et un dans la salle de bains.

Il raconta comment il avait acquis l'information. Son ami Kamakura Sadana lui avait téléphoné une heure plus tôt.

– Qu'ont fait vos « plombiers japonais » ? demanda aussitôt Malko. Ils les ont désactivés ?

– Surtout pas. Les Chinois sauraient immédiatement qu'un Service est passé par là. Non, ils fonc-

tionnent parfaitement et recueillent toutes les
conversations de l'appartement. Il y a même un
bidule électronique dans le téléphone pour enregistrer les numéros des appelants. Du beau travail.

– Que voulez-vous faire ?

– J'ai réfléchi depuis tout à l'heure, nous avons
le choix entre plusieurs solutions, toutes mauvaises.
Si nous ne faisons rien et que le Guoanbu intercepte
une information sur Lou Zhao, c'est la catastrophe.

» Il n'y a donc qu'une alternative : parler à Maïko
Nabu. Lui dire une partie de la vérité. Que vous
appartenez à la CIA et que vous travaillez sur une
opération destinée à exfiltrer Lou Zhao, qui est
passée dans le camp des dissidents. Et *aussi*, que
son appartement est piégé !

– C'est un risque, remarqua Malko. Comment
va-t-elle réagir ?

– C'est vrai, mais c'est le *moindre* risque.

– J'espère qu'elle va bien se comporter, soupira
Malko, en attaquant sa Ceasar's Salad. C'est aussi
un risque qu'on me voie trop souvent avec elle.

– Nous marchons sur des charbons ardents,
reconnut l'Américain, mais il faut éviter les catas-
trophes. Imaginez que Lou Zhao arrive à Tokyo et
qu'elle appelle sa copine. Et que le Guoanbu sache
immédiatement où elle se trouve… Avant nous.

Un ange passa en se voilant la face.

– Vous croyez que la boutique est sonorisée
aussi ? demanda Malko.

– C'est très probable. Il faut que vous parliez à
Maïko Nabu.

– L'hôtel m'a donné une invitation pour un
vernissage à la galerie Suntori. Je vais proposer à
Maïko de m'y accompagner.

***

Malko avait pris une voiture du Hyatt, avec un
chauffeur, pour aller chercher Maïko Nabu. Comme
un bon touriste. Il l'appela de la voiture et elle
répondit aussitôt.

– Je descends.

Lorsqu'elle apparut, Malko eut un choc. La Japonaise portait un magnifique kimono avec un *obi*,
des chaussettes blanches et des socques de bois.

Lorsqu'elle prit place à côté de Malko dans la
limousine, elle demanda espièglement :

– Je vous plais comme ça ?

Malko fit la moue. Sa poitrine était écrasée par le
kimono et on ne voyait rien d'elle, à part ses
mains…

– Je préfère les autres tenues ! reconnut-il.

La Japonaise parut déçue.

– J'ai passé beaucoup de temps à me préparer,
dit-elle. Il m'a fallu une caministe. On ne peut pas
s'habiller ainsi toute seule.

Rien que sa coiffure était une véritable pièce
montée.

– Nous allons dans une soirée mondaine, je veux vous faire honneur.

Vingt minutes plus tard, ils débarquaient à la galerie Suntori, dans Akasaka. Exceptionnellement ouverte jusqu'à onze heures, pour une exposition d'art abstrait. Il y avait beaucoup de monde, il faisait très chaud et, aux yeux de Malko, les tableaux n'avaient aucun intérêt. Ils restèrent quand même une heure. A la sortie, il annonça.

– J'ai réservé au *Meiji Kinnonkon.*

– C'est le meilleur restaurant de Tokyo, approuva Maïko.

Bizarrement, il sentait une réticence dans sa voix.

– Vous auriez aimé un autre endroit ? demanda-t-il.

Elle se tourna et dit presque à voix basse.

– J'aime beaucoup la cuisine européenne.

– Eh bien, allons à l'Atelier de Joël Robuchon, proposa Malko.

Le meilleur français de Tokyo.

Cette fois, Maïko battit presque des mains.

– Oh oui, j'en ai beaucoup entendu parler, mais c'est trop cher pour moi.

Malko donna ses ordres au chauffeur et une demi-heure plus tard, ils escaladaient la colline de Roppongi Hills, dominée par la tour Mori de plus de cinquante étages. Un restaurant, au dernier étage, offrait une vue extraordinaire sur Tokyo. Hélas, l'Atelier de Joël Robuchon n'était qu'au second…

Un peu particulier, avec un immense bar équipé de confortables tabourets où on dégustait coude à coude les spécialités de la maison, préparées au fur et à mesure.

Une sorte de bar à tapas.

Mais des tapas de luxe… Maïko était aux anges. Malko commanda discrètement du champagne. Lorsqu'ils trinquèrent, il se lança.

— Maïko, il faut que je vous fasse un aveu. Je vous ai mise dans une situation difficile.

La Japonaise reposa sa flûte de Taittinget Brut, visiblement affolée et demanda.

— On va me tuer ?

CHAPITRE IX

Malko ne put s'empêcher de sourire : Maïko Nabu voyait vraiment les choses en noir. Il lui prit la main et la baisa, geste extraordinaire au Japon.

– Maïko, dit-il, vous ne risquez pas votre vie, mais vous vous retrouvez sans le vouloir au cœur d'une affaire d'Etat. Je vous dois la vérité. Je vous ai menti. En réalité, je travaille pour la CIA et je suis à Tokyo pour terminer l'exfiltration de Chine de votre amie Lou Zhao. Elle avait contacté l'ambassade américaine à Pékin et exprimé le désir de faire défection.

– Mais elle venait tout le temps à Tokyo ! objecta Maïko. C'était facile pour elle…

C'est là que le bât blessait. Malko ne se démonta pas.

– Je pense que les autorités chinoises ont eu vent de son projet. C'est la raison pour laquelle elle n'a pas pu rejoindre Tokyo.

– Où elle est ?

– Nous l'ignorons. Peut-être arrêtée, mais je ne le pense pas. Depuis quelques jours, des agents du

Guoanbu surveillent votre domicile et votre
magasin. Ils ont même posé des micros partout.

– Mon Dieu !

Maïko avait posé les deux mains à plat sur sa
bouche, terrifiée, ignorant le plat sophistiqué de foie
gras qu'on venait de déposer devant elle. Se repre-
nant, elle demanda :

– Comment me connaissent-ils ?

– Nous supposons qu'ils ont trouvé trace de vos
contacts avec Lou Zhao. En tous cas, nous pensons
que Lou se cache quelque part en Chine. Si elle
avait été arrêtée, ils ne vous surveilleraient pas.

Le visage crispé, la Japonaise demanda.

– Mais qu'est-ce que je peux faire ? Aller à la
police ?

– Surtout pas ! Les Chinois ignorent que nous
savons. C'est grâce aux Services japonais que nous
avons découvert les micros. C'est la raison pour
laquelle nous ne les avons pas neutralisés. Seulement, il va falloir faire attention à *toutes* vos
conversations. Surtout si Lou Zhao vous téléphone.
Il ne faudrait pas que vous mettiez le Guoanbu sur
sa trace...

– C'est tout ?

– Non. Ils ont sûrement enregistré toutes nos
conversations. Je pense, qu'à leurs yeux
aujourd'hui, je ne suis qu'un touriste qui vous
drague. Il faut qu'ils continuent à le croire.

» S'ils savaient que vous êtes liée à un agent de
la CIA, votre position serait plus délicate.

» Donc, nous allons établir ensemble un canevas pour nos futures conversations. Je vous fais la cour et vous résistez. Ce qui permet de garder le contact sans éveiller l'attention du Guoanbu.

– Cela va durer combien de temps ?

– Pas très longtemps, je pense. Lou Zhao va arriver à sortir de Chine, ou se faire coincer définitivement.

Un peu rassurée, Maïko Nabu se plongea dans ses « tapas » de foie gras.

Malko lui reversa du Taittinger pour lui remonter le moral, mais il n'arriva pas à lui arracher un sourire.

– Que va devenir Lou ? demanda-t-elle.

– Je l'ignore. Je pense qu'elle ne restera pas à Tokyo où les agents du Guoanbu agissent facilement. Elle ira probablement aux Etats-Unis.

Pensive, Maïko posa ses couverts.

– J'ai envie de me pincer la joue ! J'ai vu des histoires semblables dans des films, mais je n'aurais jamais pensé être mêlée à ce genre de chose.

– C'est à votre corps défendant, souligna Malko. Heureusement, vous n'aurez pas grand-chose à faire.

La Japonaise repoussa son assiette vide et demanda :

– Et les Américains, ils vont me protéger ?

Malko esquissa un sourire.

– Le cas échéant, certainement. Je peux vous dire qu'ils travaillent la main dans la main avec les Services de votre pays…

Maïko sembla un peu rassurée et commanda un chaud-froid de volaille. Et lança un regard de reproche à Malko.

– En réalité, vous ne vouliez pas coucher avec moi…

– Je n'y avais pas pensé, avoua Malko, j'ignorais même à quoi vous ressembliez. Mais c'est certainement la partie la plus agréable de ma mission.

– C'est curieux, laissa tomber Maïko, je n'arrive pas à vous détester. C'est à cause de l'Iki.

– Voilà, conclut Malko. Je vais sagement vous raccompagner et je vous appellerai après-demain.

Ils terminèrent leurs « tapas » et Malko régla une addition monstrueuse : 20 000 yens !

Au Japon aussi, le luxe était cher.

Lorsqu'il raccompagna Maïko, il ne chercha même pas à vérifier s'ils étaient suivis : cela n'avait plus d'importance.

Recroquevillée dans un coin de l'unique pièce du logement de Chuen Ki, sur un tas de toiles et de couvertures, Lou Zhao essayait vainement de trouver le sommeil. Elle était rentrée à reculons de son rendez-vous avec « Max » et, quand elle avait ouvert la porte, l'odeur fade de la mort et du sang avait failli la faire vomir.

Elle s'était placée le plus loin possible du lit, mais son regard était sans cesse attiré par la masse sombre du cadavre.

Epuisée, elle finit par trouver le sommeil mais se réveilla en sursaut, interrompant un rêve où elle entendait des cris aigus. Le pouls en folie, elle prêta l'oreille et entendit *effectivement* des bruits aigus : il lui fallut quelque temps pour comprendre qu'il s'agissait des oiseaux de son cousin, qui, dans la cour, commençaient à mourir de faim et de soif.

Sans être cruelle, elle n'arrivait pas à se forcer pour aller les nourrir.

Simplement, elle se boucha les oreilles, d'abord avec les mains, et ensuite, avec du coton. Appréhendant de se réveiller avec le cadavre.

* *
*

Le général Li Xiao Peng était étonné de ne pas avoir de nouvelles de sa maîtresse, Lou Zhao. Certes, il était au courant de son voyage au Japon, mais d'habitude, lorsqu'ils étaient séparés, elle lui téléphonait toujours.

Ce silence lui causait un certain malaise. A cinquante-six ans, Li Xiao Peng était tombé follement amoureux de la capitaine de l'Armée de Libération Populaire. Il ne pouvait plus se passer d'elle. Comme disent les Chinois, Lou « le tenait par la tige de jade »…

Il descendit de son appartement pour gagner son bureau au ministère de la Défense. Son chauffeur l'attendait devant la porte, au volant d'une Pajero noire aux vitres fumées, avec une plaque militaire blanche.

Le chauffeur donna quelques coups de klaxon aigus puis se positionna au milieu de la chaussée. Aux grands croisements, les policiers en casquette, tenue bleue, walkie-talkie accroché sur la poitrine, saluaient respectueusement. Même eux portaient sous leur tenue, un gilet pare-balles G. K. en aramide, importé de France, son équivalent chinois manquant de fiabilité.

Le général regarda pour la centième fois s'il n'avait pas un SMS sur son portable. Sans succès. Il ne voulait pas appeler lui-même à l'étranger.

Trop dangereux.

Pour se changer les idées, il repensa à leur dernière soirée. Merveilleuse. Quand il faisait l'amour à Lou, il avait l'impression de rajeunir de vingt ans. Il ne se souvenait que vaguement de ce qui s'était passé ensuite, sachant seulement qu'il avait bu beaucoup de cognac.

La voiture s'arrêta. Il était dans la cour du Ministère de la Défense.

La Toyota beige qui avait suivi le général Li Xiao Peng depuis son domicile, passa devant le ministère sans s'arrêter. Le système mis en place autour du fils de Li Peng était désormais rodé.

Cinq voitures et une quinzaine d'hommes, plus les techniciens qui avaient « sonorisé » son domicile, son bureau, et même, un coin du restaurant où il allait souvent.

Il avait fallu la signature de Zhou Yong Kang accompagnée de celle d'un membre du Comité Central permanent du Parti communiste pour autoriser la surveillance étroite d'un « Prince Rouge ».

Bien entendu, personne ne connaissait la raison de cette enquête, à part Zhou Yong Kang.

Chaque soir, une synthèse était faite des activités du général avec les rencontres qu'il avait faites, les gens à qui il avait téléphoné et ceux qu'il avait rencontrés. Il était pris dans une toile d'araignée invisible qui épiait tous ses faits et gestes. Avec une consigne absolue : qu'il ne s'aperçoive pas de cette surveillance.

*
* *

Malko rongeait son frein. Depuis sa soirée avec Maïko, c'était le calme plat. Bien entendu, il avait rendu compte au chef de Station pour le rassurer. Les Chinois étaient toujours présents autour de Maïko Nabu, ce qui signifiait que Lou Zhao était toujours en liberté.

Le jour où ils disparaîtraient, il pourrait reprendre l'avion pour l'Autriche qu'Alexandra avait retrou-

vée depuis longtemps. Pour tuer le temps, il avait
été flâner dans les innombrables centres commer-
ciaux et les boutiques de luxe qui parsemaient
Tokyo. La boutique Vuitton de l'aéroport était plus
grande que celle de Paris ! Les Japonais étaient littéralement fous de ces produits.

Il avait décliné une invitation de Théo Stevens
pour un dîner et une virée dans les bars à geishas.
Inutile d'attirer l'attention sur lui.

Comme convenu, il avait appelé Maïko pour
l'inviter à dîner et elle avait été parfaite : refusant
l'invitation, tout en l'encourageant à la rappeler.

Il regarda les photos de Lou Zhao avec curiosité,
se demandant s'il la verrait jamais en chair et en os.
Il avait l'impression pourtant de, déjà, très bien la
connaître.

Son portable sonna : c'était Philip Burton.

– Je vous invite à dîner, annonça le chef de
Station. Je vous envoie une voiture. Nous serons
plusieurs, avec une de nos correspondantes. Une
ravissante Japonaise. Et puis, j'ai quelque chose à
vous dire.

Ayoka Tamagata était magnifique. Grande, les
yeux débridés, une honnête poitrine ajoutée à sa
silhouette frêle, de très longues jambes, en partie
découvertes par une jupe fendue très haut, elle était

analyste stratégique et travaillait en sous-main pour la CIA.

Son regard se fixa sur Malko et s'y attarda un peu.

Par miracle, ils se retrouvèrent côte à côte à la table de huit. La conversation s'engagea et devint assez vite plus intime que la normale.

– Vous êtes de passage à Tokyo ? demanda la Japonaise.

– Oui, et vous ?

– Moi, j'habite ici, mais je voyage pas mal.

– Vous êtes mariée ?

Elle sourit.

– Oui, mais je ne vois pas beaucoup mon mari. C'est un grand avocat et il travaille souvent jusqu'à dix heures du soir. Alors, nous vivons chacun de notre côté.

Cela pouvait être une avance déguisée. La jupe de la voisine de Malko avait glissé et il aperçut la peau au-dessus d'un bas stay-up, qui s'arrêtait à mi-cuisse.

Le dîner était passé comme un éclair. A part les shashimi, Malko ne s'était pas intéressé au Tofu, ni aux mélanges improbables que des hôtesses souriantes leur proposaient.

Philip Burton donna le signal du départ.

– Si vous voulez, on va boire un verre dans un bar, proposa-t-il.

Tous déclinèrent. Malko se tourna vers Ayoka Tamagata.

– Cela vous dit ?

– Pourquoi pas ?

Elle n'avait pas hésité une seconde.

– Je vais vous suivre, dit-elle, j'ai ma voiture.

– Voulez-vous que je vous tienne compagnie ?

– Avec plaisir, je suivrai le véhicule de Philip-San.

Justement, ce dernier se rapprocha de Malko.

– J'avais quelque chose à vous dire, fit à voix basse l'Américain. J'ai eu un message de Langley. Apparemment, l'exfiltration de Lou Zhao se présente bien.

*
* *

Le « Bar Rouge » était bondé. Lou Zhao dut attendre près de dix minutes à l'entrée, avant d'obtenir une petite table ronde presque derrière le bar. Ce qui l'angoissa. Elle était presque invisible du reste de la salle. En plus, elle s'était littéralement enfuie de son appartement dès dix heures du matin, ne pouvant plus supporter l'odeur aigre-douce de la mort. Chuen Ki commençait à dégager une odeur nauséabonde. Elle avait pris des bus, le métro, se perdant dans Nanjing road, au milieu de la foule habituelle des touristes. Priant silencieusement ses ancêtres pour que la réponse de « Max » arrive vite.

Sinon, elle n'aurait plus qu'à mourir. Sachant trop ce qui l'attendait si elle tombait aux mains du

Guoanbu. Entre deux bus, elle avait beaucoup marché et ses pieds lui faisaient mal, à cause des escarpins noirs. Elle arborait la même tenue sexy qu'à son rendez-vous précédent.

Elle consulta sa montre, après avoir commandé un thé : sept heures et quart.

A huit heures moins le quart, elle était complètement désespérée. Il n'allait pas venir ! Cependant, elle n'osait pas repartir, n'ayant même pas de rendez-vous de secours. Enfin, les cheveux longs et le visage émacié de l'Américain apparurent, juste avant huit heures. Lou Zhao se tordit le cou pour qu'il puisse l'apercevoir. Comme il n'y avait pas de table, il prit place au bar et elle n'osa pas le rejoindre tout de suite... Elle dut encore poireauter vingt minutes avant que « Max » ne se dirige vers elle de son pas nonchalant et s'assoie à sa table.

— Ça va ? demanda-t-il.

Comme si de rien n'était... Incapable d'articuler une parole, Lou Zhao opina de la tête. Fixant les yeux bleu pâle de son vis-à-vis. Toujours aussi impassible. Après avoir commandé un whisky, il laissa tomber.

— Je crois que vous allez bientôt pouvoir quitter Shanghai.

CHAPITRE X

Devant Lou Zhao retenant son souffle, « Max »
continua.

— Vous allez partir demain à 7 h 40 de la gare du
Sud, dans Old Humin Lou, pour Guangzhou et
Hong-Kong. Vous y arriverez à 6 h 10. Là…

Lou Zhao l'interrompit, terrifiée.

— Mais c'est impossible ! Hong-Kong est dans la
zone spéciale. Il y a des contrôles, ils vont m'arrêter.

Jeffrey Fox ne se troubla pas.

— Il n'y a pas de contrôle par le train, précisa-t-il,
seulement dans les aéroports : vous ne risquez *rien*.
De toutes façons, c'est le seul itinéraire possible.

— Je n'ai pas de billet, objecta la jeune femme.

L'Américain tira une enveloppe de sa poche et la
lui tendit.

— Voilà votre billet. En lit « mou ».

Indispensable : le voyage durant 16 heures !

— Et ensuite ? demanda-t-elle, morte d'angoisse.

— Quand vous arriverez à Kowloon, vous n'irez
pas jusqu'à la Hong-Kong Central Station, sur l'île,

mais vous descendrez à la station Jordan Street, à Kowloon.

– Qu'est-ce que je vais faire ensuite ?

– Quelqu'un vous attendra. Un homme de grande taille, avec des dents en or et un bouquet d'œillets à la main. Il sera habillé d'un costume sombre. Vous ne pouvez pas le rater. Il attendra jusqu'à ce que tous les passagers du train soient descendus. Lorsque vous l'aborderez, vous lui demanderez simplement s'il est Monsieur Wu Ho.

» C'est le mot de passe.

– Et après ?

« Max » eut un geste évasif, accompagné d'un demi-sourire.

– Même si on m'arrachait tous les ongles, je ne pourrais pas dire ce qui se passera, mais vous quitterez la Chine sans problème.

– Vous en êtes sûr ?

L'Américain se pencha en avant.

– Il s'agit de gens avec qui je travaille depuis des années. Ils sont complètement fiables. Jamais ils ne m'ont fait faux bond.

– Mais tous les aéroports ont mon signalement, objecta la Chinoise. Celui de Hong-Kong aussi, sûrement.

– Mes amis le savent, se contenta de dire « Max ».

Sans préciser qu'il s'agissait de la branche hong-kongaise de la triade *Sun Yee On*. L'Américain regarda sa montre.

– Voilà, nous ne nous reverrons pas. Je vous souhaite bonne chance.

Il posa un billet de 100 yuans sur la table, se leva et s'éloigna.

**

Ayoka Tamagata semblait beaucoup s'amuser. Le café « El Latino » était particulièrement animé. Une foule compacte se pressait sur la piste de danse, au son de la musique sud américaine. Ils étaient là depuis une demi-heure et Philip Burton, le chef de Station, semblait s'ennuyer.

Au moment où l'orchestre entamait un air cubain endiablé « Me gusta la gasolina »[1], il se pencha à l'oreille de Malko et cria :

– Je crois que je vais vous laisser. J'ai mal à la tête et je me lève tôt. *Have fun.*

Il adressa un signe amical à Ayoka Tamagata et plongea dans la foule. Aussitôt, la Japonaise sauta sur ses pieds.

– Venez danser, j'adore cette musique !

Evidemment, c'était très éloigné des stridences tristes de la musique japonaise…

Il se glissèrent sur la piste et Ayoka commença à onduler des hanches furieusement. Certains couples dansaient à la cubaine, éloignés l'un de l'autre, d'autres, plutôt serrés-collés. C'est ce que choisit

----

1. J'adore l'essence.

Ayoka. Quand Malko sentit son corps souple bouger contre le sien, il sentit sa libido s'éveiller. Ayoka était beaucoup plus belle, plus racée que Maïko. La salsa qui suivit vit la Japonaise fondre littéralement. Malko pouvait sentir son pubis qui s'agitait contre lui à un rythme prometteur.

Enhardi, il glissa une main entre leurs corps, atteignit la cuisse et commença à écarter la longue fente de la jupe. Ayoka se figea aussitôt et recula.

– Pas ici ! fit-elle, nous sommes au Japon.

Ils dansèrent encore un peu et ils se rassirent.

* * *

– On y va ? proposa Malko.

Il régla la bouteille de Taittinger Brut et ils se dirigèrent vers la sortie.

Un voiturier amena la grosse Toyota d'Ayoka quelques instants plus tard et elle se glissa au volant. Démarrant comme aux vingt-quatre heures du Mans, dans les rues sombres et désertes. Il était presque une heure du matin et le gros des Tokoyïtes étaient repartis dans leur banlieue ou dormaient dans des « love hotels ». Malko posa la main sur la cuisse en partie dénudée de la jeune femme et, cette fois, elle ne repoussa pas sa main. Son adrénaline monta : c'était grisant de penser qu'il allait faire l'amour à une femme qu'il ne connaissait pas deux heures plus tôt.

– Où allons-nous ? demanda-t-il.

Ayoka sourit sans répondre. Dix minutes plus tard, la Toyota pénétra dans le parking souterrain d'un immeuble moderne.

Dans l'ascenseur, Ayoka Tamagata appuya sur le bouton du 45 !

– Où sommes nous ? demanda Malko.

– Dans la tour Mori, à Roppongi Hills. Vous connaissez ?

– Oui, un peu.

Au 45ème étage, Ayoka mit la clef dans sa serrure et Malko découvrit un petit appartement, plutôt froid, les murs gris très pâle, des éclairages tamisés et un grand lit bas. La décoration se résumait à un très grand miroir légèrement incliné, placé le long du lit, qui reflétait la vue à couper le souffle de la baie vitrée.

– C'est ma garçonnière, annonça gaiement la Japonaise.

– Vous avez une vue magnifique, remarqua Malko.

C'était fascinant, cette masse de lumière à perte de vue. Comme il s'attardait devant la baie vitrée, il sentit Ayoka se coller à lui par-derrière, poussant son pubis contre ses fesses.

– Vous êtes venu admirer la vue ? dit-elle ironiquement. Au restaurant du 50ème étage, elle est encore plus belle…

Elle n'avait pas froid aux yeux. Malko se retourna et l'enlaça. Son corps souple se colla aussitôt au sien. Cette fois, lorsqu'il remonta le long de la cuisse, Ayoka se contenta d'ouvrir un peu les jambes pour faciliter l'accès à son sexe. Elle se laissa caresser, soupirant doucement, puis saisit le membre de Malko tendu sous le pantalon d'alpaga, avec un sourire de vampire.

– Je ne fais pas souvent l'amour avec des *gaijings*, dit-elle, souriante. Vous avez de la chance !

– Pourquoi ce racisme ? demanda Malko, sa main frottant toujours le sexe de la Japonaise.

– Parce que je suis très étroite et que les Blancs ont souvent des sexes énormes. J'ai été blessée une fois par un Américain qui possédait une véritable trompe d'éléphant…

Délicatement, elle descendit le zip de Malko, écarta le slip et empoigna son sexe.

– Vous irez doucement quand vous me violerez ? demanda-t-elle.

Ils continuèrent à se caresser mutuellement, debout, puis Ayoka se laissa tomber sur le lit, le grand miroir reflétant leurs deux silhouettes enlacées… Rapidement, elle fit descendre le zip de sa robe, se dénudant. Elle ne portait pas de soutien-gorge sur sa poitrine trop ferme pour être honnête…

Gentiment, Malko fit descendre le slip mauve le long de ses jambes. Ayoka se pencha et sa bouche entoura son sexe brièvement. Plus une exploration qu'une caresse. Elle redressa la tête et dit doucement.

– J'aime bien savoir ce que je vais me mettre dans le corps. Baisez-moi maintenant.

C'était la première fois qu'elle utilisait un mot cru, « *fuck* » en anglais. Les genoux pliés, allongée sur le dos, elle offrait au regard de Malko un triangle d'astrakan bien taillé au-dessus d'un sexe rose bonbon.

C'est elle qui l'attira en le tenant par le sexe. Elle n'avait d'ailleurs pas besoin de l'encourager : cette superbe femelle offerte l'excitait prodigieusement.

Quand elle sentit l'extrémité du sexe de Malko se poser sur l'ouverture de son sexe, elle murmura :

– Oui, vas-y, défonce-moi !

De toutes ses forces, Malko poussa son sexe dans le ventre offert. Il pénétra de quelques centimètres et s'arrêta, bloqué par une résistance inattendue. Le sexe n'était pas étroit, mais fermé à double tour, par un spasme de la muqueuse.

Il voulut insister et Ayoka poussa un hurlement.

– Arrêtez, vous me faites mal. Caressez-moi d'abord.

Il obéit, sans perdre son érection, et s'allongea près d'elle. Sa main allant et venant doucement. Ayoka cambrait son ventre en avant et respirait de plus en plus vite.

Elle poussa une petite exclamation, eut un spasme et Malko se dit qu'elle avait joui.

Immédiatement, il revint sur elle et, cette fois, l'attaqua sans douceur.

Pour un résultat similaire.

Ayoka se tordait sous lui, gémissait, mais son sexe était cadenassé comme un coffre-fort…

Découragé, Malko abandonna sa tentative. C'était frustrant. Comme son érection commençait à faiblir, Ayoka se pencha sur le côté et commença à lui administrer une fellation aussi sophistiquée qu'un tableau japonais… Elle semblait sincèrement désireuse de se faire prendre.

Quand il fut revenu à une raideur honnête, Malko rebascula sur elle.

Avec le même résultat.

Furieux, il la prit par les hanches et la retourna, essayant de la pénétrer en levrette. Il ne s'enfonça que de quelques millimètres supplémentaires… Fou de frustration, il se retira et posa l'extrémité de son sexe sur le petit anneau bistre, un peu plus haut.

Ayoka poussa un nouveau hurlement.

– Non, pas là ! Vous allez me tuer.

Il fallait en faire beaucoup pour assassiner une femme en la sodomisant, mais, galant, Malko n'insista pas, retombant sur le dos.

– Je pense que vous n'êtes pas en forme, ce soir, remarqua-t-il. Ce n'est pas grave.

– C'est parce que je ne vous connais pas, assura Ayoka. On va se reposer un peu et boire…

Malko avait surtout envie de rentrer à son hôtel. Ce jeu commençait à être frustrant.

***

Ils avaient bu un carafon de saké en grignotant
des biscuits à l'aspect étrange : confectionnés avec
des algues et des haricots rouges…

C'est Ayoka qui recommença à masser Malko,
puis à le prendre dans sa bouche. Jusqu'à ce qu'il
soit dur comme du jade. Cette fois, il avait bien
l'intention de parvenir à ses fins. Il la caressa
longuement, joua avec ses seins et s'agenouilla
entre ses cuisses. Volontairement, il les souleva,
ramenant les genoux presque au creux des épaules.
Dans cette position, le sexe rose était entièrement
offert.

Il prit son élan et posa son sexe, pénétrant doucement. Guère plus que les fois précédentes. Ayoka se
regardait dans la glace.

— Continue, demanda-t-elle, j'ai envie de toi.

Premier tutoiement, mais le sexe était toujours
aussi verrouillé. Soudain, Malko se sentit pris d'une
rage folle. Sans changer de position, il empoigna les
seins de la Japonaise et commença à en tordre les
pointes.

Méchamment.

Ayoka hurla.

— Laissez-moi. Je ne veux pas.

Malko perdit toute galanterie et gronda :

— Salope, je vais te baiser pour de bon !

Il abandonna les seins pour écarter les cuisses,
prit la base de son sexe dans la main gauche et,

pesant de ses quatre-vingt kilos, donna une formidable poussée.

La résistance dura quelques fractions de seconde, tandis que la Japonaise glapissait. Il allait se retirer, cette fois définitivement lorsque, soudain, il sentit la muqueuse s'amollir, et son sexe glissa sans effort dans celui de la jeune femme.

Elle n'était pas étroite et parfaitement lubrifiée.

D'une voix rauque, méconnaissable, elle lança :

– Viole-moi ! Défonce-moi !

Malko ne se fit pas prier, s'enfonçant à coups redoublés dans cette femelle repliée comme une grenouille qui faisait des bonds de cabri sous lui. Abuté en elle, il se vida en criant sauvagement.

Quand il fut retombé, il sentit Ayoka lui prendre la main et la serrer.

– C'était merveilleux ! fit-elle. La plupart des hommes ne sont pas aussi tenaces que toi.

Malko se tourna vers elle.

– Pourquoi m'as-tu menti ? Tu n'es pas étroite du tout.

– Comme je ne te reverrai jamais et que tu ne sais rien de moi, je vais te dire la vérité, répondit la Japonaise. Lorsque j'avais treize ans, j'ai été violée par un de mes oncles. Il m'a dépucelée et fait horriblement mal. Pourtant, en même temps, dès qu'il s'est retiré, j'ai joui pour la première fois de ma vie…

» Depuis, ma vie sexuelle est bizarre : j'ai envie de faire l'amour, mais dès qu'un homme veut me

prendre, mon sexe se ferme totalement. C'est indé-
pendant de ma volonté.

» Quelquefois, mon partenaire a assez de
patience pour arriver à me forcer, comme tu as fait.
Là, c'est merveilleux.

– En somme, conclut Malko, tu cours après ton
viol…

Ayoka sourit.

– Peut-être. C'est quand tu m'as dit que tu allais
me violer que je me suis détendue.

Elle sauta du lit.

– Je vais te ramener à ton hôtel, ensuite je
rentrerai chez moi. Mon mari n'aime pas que je
découche.

– Et lui, il y arrive? ne put s'empêcher de
demander Malko.

Ayoka eut un sourire teinté de tristesse.

– Il y a longtemps qu'il a renoncé.

*
**

Le hall déjà glacial du Hyatt était carrément
sinistre, vide comme une coquille d'huître. Les
employés à la réception regardèrent Malko avec
reproche. Les *Gaijins* qui rentraient tard avaient
généralement passé la nuit avec des prostituées
japonaises. Or, aux yeux des Japonais, les étrangers
étaient tous des barbares.

On ne se mariait qu'avec un Japonais.

Malko descendit au 23ème étage et, au moment où il débarquait sur le palier, croisa un homme qui s'éloignait. Probablement, un fêtard comme lui. Il mit la carte magnétique dans sa serrure et poussa le battant. Comme il allumait, il éprouva une sensation bizarre, sans pouvoir en analyser la cause.

A peine la lumière éclaira-t-elle la pièce, qu'une silhouette surgit de la salle de bains : un homme trapu en blouson, les cheveux courts.

Malko n'eut pas le temps d'atteindre le téléphone. L'homme s'était jeté sur lui, brandissant un long poignard très fin. Il essaya d'éviter le coup, mais sentit une violente douleur au côté droit.

L'autre recula, se tassa et se lança de nouveau en avant. Pour l'achever.

CHAPITRE XI

Acculé au mur, Malko regarda autour de lui et aperçut une lourde lampe chinoise posée sur un guéridon. Surmontant la douleur de son côté droit, il l'arracha de la table et balaya l'air devant lui.

Le culot de la lampe atteignit son agresseur à la tête, déviant son coup. Il tituba et du sang apparut sur son visage. Cependant, il paraissait toujours aussi déterminé et remontait à l'assaut. Malko lui jeta le guéridon entre les jambes et il perdit l'équilibre. Il courait déjà vers la porte, mais glissa sur la moquette et s'étala à son tour. Lorsqu'il rouvrit les yeux, il vit son adversaire au-dessus de lui, prêt à bondir.

Soudain, au lieu de le frapper, l'homme fonça vers la porte, l'ouvrit et plongea dans le couloir !

Malko était déjà debout et se rua vers le téléphone. Il écrasa le zéro et lança à l'opérateur.

– Je viens d'être attaqué dans ma chambre. 2232. L'agresseur va sûrement chercher à fuir. Arrêtez-le.

Ensuite, de son portable, il appela Philip Burton, et brutalement, perdit connaissance.

*
* *

Le train venait de dépasser Nonchang. Lou Zhao n'arrivait pas à se détendre. Ils n'avaient pas encore atteint la « zone spéciale » de Hong Kong. Donc, elle pouvait subir un contrôle inopiné, en dépit des assurances de « Max ».

Des vendeuses parcouraient les wagons en offrant du thé, des gâteaux, de la soupe. L'embarquement à la gare de Shanghai n'avait pas posé de problème, les billets de train à 5 800 yuans n'étant pas nominatifs, ne comportant que le numéro du wagon et celui de la place.

Lou Zhao aurait donné n'importe quoi pour être déjà à l'abri dans le « sanctuaire » de Hong Kong. Enfin, tout valait mieux que le tête-à-tête avec le cadavre de son cousin… Quelqu'un le découvrirait sûrement un jour, mais elle serait loin. Elle n'arrivait même pas à regretter de l'avoir tué. Trop de choses avaient bouleversé sa vie.

Encore sept heures de trajet avant le passage de la « zone libre ».

*
* *

Il était quatre heures du matin et une petite foule animait le hall du Hyatt. Des policiers et des employés de l'hôtel entouraient un corps recouvert

d'une bâche : celui de l'homme qui avait tenté
courageusement d'arrêter l'agresseur de Malko
quand il s'enfuyait. Frappé d'un coup de poignard
dans le foie, il était mort en quelques minutes.

Malko poussa un cri de douleur : on était en train
de déchirer ses vêtements pour atteindre sa blessure. Etendu sur une civière, entouré d'un médecin
et de plusieurs paramédics, il avait l'impression
qu'on lui enfonçait un fer rouge dans le côté. Le
médecin se retourna.

— Morphine.

Malko sentit une piqûre dans la cuisse, tandis
qu'on découvrait sa blessure : une profonde estafi-
lade sur le côté droit qui saignait énormément.

Peu à peu, la douleur se calma, grâce à la
morphine. Philip Burton se pencha sur lui.

— *You are OK* ?

— A peu près, dit Malko, retenant un cri de
douleur : on venait d'arroser sa blessure d'un anti-
septique. Le médecin se pencha sur lui.

— Vous vous en sortirez. Aucune organe vital
n'est touché, mais vous avez perdu beaucoup de
sang. On va vous emmener à l'hôpital, le Tokyo
Medical Clinic, dans la tour Mori. C'est tout à côté
d'ici.

— Je ne veux pas aller à l'hôpital, protesta Malko.

Philip Burton s'interposa.

— Allez-y ! Je connais bien le docteur Marshall, il
travaille avec l'ambassade. Il faut vous garder en

observation par prudence. Je viendrai vous voir demain matin.

Déjà, on emmenait la civière de Malko jusqu'à une ambulance stationnée devant l'hôtel. Les portes se refermèrent et il sombra dans une sorte de torpeur provoquée par la morphine.

* *
*

Lou Zhao regardait le nom des gares qui défilaient à toute vitesse, son train n'ayant plus que deux stops avant Hong Kong. Désormais, il descendait vers le sud, vers la mer.

Un haut-parleur annonça : prochain arrêt, Guang-zhou.

La Chinoise crut que son cœur éclatait de joie. Guangzhou était déjà dans la « zone spéciale ». Elle était au paradis. « Max » avait eu raison, il n'y avait pas de contrôle. Du coup, elle fut prise d'une faim dévorante, et se mit à la recherche de la vendeuse.

Il lui semblait qu'elle avait fait un immense pas vers la liberté.

* *
*

Malko était encore à demi inconscient lorsqu'il aperçut Philip Burton debout à côté de son lit. Il baissa les yeux sur sa montre et vit qu'il était deux heures de l'après-midi. Avec la morphine, il avait

plongé plus de huit heures. Il tâta son flanc droit,
sentit un long pansement. Il ne souffrait presque
plus.

Le chef de Station de la CIA attira une chaise à
lui.

– Vous avez eu beaucoup de chance, dit-il. Ces
types étaient venus visiter votre chambre et vous les
avez surpris : ils pensaient probablement que vous
ne rentreriez pas.

– On les a identifiés ?

Non, mais ce ne peut être que des Chinois.
D'ailleurs, nous en avons la preuve : nous avons
envoyé une équipe de « dératiseurs » dans votre
chambre. Ils ont découvert trois micros. Le type qui
a essayé de vous tuer, venait d'en poser un dans la
salle de bains…

– Donc, ils m'ont identifié comme membre de
l'Agence…

L'Américain hocha la tête.

– Ce n'est pas certain. Ils ont voulu peut-être,
tout simplement, « sécuriser » l'environnement,
comme ils ont fait avec Maïko Nabu. Même maintenant, ils ne savent peut-être pas qui vous êtes réellement.

– C'est curieux qu'ils aient tué un employé de
l'hôtel.

– Non, ils ne veulent surtout pas être identifiés.
Vous pouvez être sûr que le type qui vous a agressé
est déjà dans un avion pour la Chine. Si les Japonais

découvraient que le Guoanbu a assassiné un citoyen
japonais, ils seraient capables de fermer leur Station
locale. En tous cas, de faire un sacré cirque.

– J'en ai pour longtemps, ici ? demanda Malko.

– Le docteur Marshall m'a dit que vous pourriez
sortir demain, si vous n'avez pas de fièvre, donc pas
d'infection. Ils vous ont shooté à mort aux antibioti-
ques.

– Toujours aucune nouvelle de Lou Zhao ?

– Aucune. Je pense que vous devriez appeler
Maïko Nabu pour lui apprendre que vous avez été
agressé par des cambrioleurs. Cela va tromper le
Guoanbu. N'oubliez pas qu'ils ne sont pas certains
que vous êtes un espion. Si vous ne disiez rien, cela
paraîtrait suspect.

» OK. Reposez-vous. A propos, j'ai un cadeau
pour vous.

Il se pencha et prit dans sa serviette un paquet
dans une pochette de peau, le posant sur le lit.

Malko l'ouvrit : c'était un pistolet automatique
Glock 28, avec un chargeur supplémentaire scotché
à la crosse.

– La prochaine fois, fit Philip Burton, vous
n'aurez pas besoin d'appeler la réception.

– Vous croyez vraiment que c'est utile ?
demanda Malko. Les Chinois n'ont pas cherché à
me tuer *délibérément*.

– Cela peut leur passer par la tête, assura
l'Américain. Cette arme est déclarée au nom de

l'ambassade américaine. Les Japonais sont très stricts sur les armes à feu. Cinq ans de prison pour détention illégale.

» OK. Reposez-vous.

Il laissa Malko. Aussitôt, ce dernier appela Maïko à sa boutique.

— Après vous avoir raccompagnée, j'ai failli être tué par des cambrioleurs, expliqua-t-il.

En entendant son récit, la jeune femme sembla extrêmement surprise.

— Vous n'avez pas de chance, remarqua-t-elle, ce genre de chose n'arrive pratiquement jamais chez nous. A quel hôpital êtes-vous?

— Au Tokyo Medical Clinic, dans la tour Mori.

— Je viendrai vous voir demain, après avoir fermé la boutique. J'espère que vous allez vite guérir.

Lorsque Malko eut raccroché, il se dit que les gens du Guoanbu tomberaient dans le panneau : il n'avait rien soupçonné. Il essaya de bouger, mais une violente douleur lui arracha un cri. Il n'était pas sorti de l'auberge.

***

Le train de Shanghai entra en gare de Jordan Street, à petite allure. Depuis Guangzhou, ce n'était qu'un tissu urbain décousu. Lou Zhao se leva et prit sa valise à roulettes. Elle était groggy de fatigue, mais respirait plus librement. Ici, elle était relativement à l'abri du Guoanbu.

Sans se presser, elle laissa passer le flot des voyageurs. Heureusement, ils n'étaient pas très nombreux, la plupart continuant jusqu'à la Central Station de Hong-Kong. Elle était sur la voie 4 et dut emprunter un couloir souterrain pour gagner le quai N° 1.

La sortie.

Elle parcourut le quai des yeux et son pouls grimpa au ciel : un homme se tenait à côté de la sortie des voyageurs. Grand, un costume sombre mal coupé, un énorme bouquet d'œillets à la main. Lou Zhao se dirigea vers lui et l'inconnu, en souriant, découvrit une rangée de dents en or.

Arrivée à sa hauteur, Lou Zhao demanda timidement :

— Etes-vous M. Wu Ho ?

L'homme jeta son bouquet de fleurs dans une poubelle et dit simplement :

— Venez avec moi.

Ils se retrouvèrent dans la bruyante Jordan road et le Chinois héla un taxi. Ils descendirent la rue jusqu'au croisement avec Nathan road et le taxi tourna à droite, longeant un grand parc. Pour s'arrêter devant un immeuble blanchâtre d'une vingtaine d'étages.

L'enseigne, « New Garden Hostel » était en chinois et en anglais. Le taxi s'arrêta et M. Wu Ho régla. Ils entrèrent dans l'établissement, assez bas de gamme et M. Wu Ho se dirigea vers la réception, où des gens faisaient la queue pour s'enregistrer.

Lou Zhao le vit échanger quelques mots avec un employé qui lui tendit une carte magnétique.

Lorsqu'il fut revenu auprès de Lou Zhao, M. Wu Ho la lui tendit :

— Voilà, vous êtes au treizième étage, la chambre 1308. Allez vous installer. Vous pouvez sortir vous promener, mais ne parlez à personne à l'hôtel, c'est plus prudent.

— Mais je ne suis pas enregistrée ! objecta Lou Zhao.

— Vous l'êtes, pour notre groupe. Ne vous tracassez pas.

— Quand est-ce que je repars ?

— Je ne sais pas. Je viendrai vous chercher. Vous avez de l'argent ?

— Oui.

— Très bien. Allez poser votre bagage. Je reviendrai vous voir quand tout sera prêt.

Il tourna les talons sans même lui serrer la main. Lou Zhao demeura quelques instants plantée au milieu du hall, parmi les « *backpackers* » [1] étrangers et des Chinois d'allure modeste, avant de se décider à prendre l'ascenseur.

Sa chambre était petite, mais correcte, avec une fenêtre donnant sur un forêt de toits. Kowloon était une fourmilière, encore plus que Hong-Kong. Epuisée, mourant de faim, elle s'allongea sur le lit, sans se déshabiller et bascula immédiatement dans le sommeil.

---

1. Voyageurs avec des sacs à dos.

*
* *

Jeffrey Fox vit entrer dans son magasin un Chinois habillé pauvrement qui commença à regarder les rayons. Il s'approcha de lui et lui demanda ce qu'il cherchait. L'homme tourna vers lui un visage indifférent.

– Je ne sais pas encore ce que je veux, mais je ne voudrais pas dépasser 100 000 dollars.

– Je vois, fit l'Américain. Attendez-moi là.

Il repartit dans son bureau, y prit une enveloppe en kraft et revint vers l'inconnu qui prit l'enveloppe et l'enfouit immédiatement dans sa veste mate-lassée.

– Elle est arrivée à Hong-Kong, dit-il. Tout s'est bien passé. On organise son départ pour les prochains jours. Je reviendrai lorsqu'elle sera dans l'avion pour Manille.

Resté seul, Jeffrey Fox sortit et alla téléphoner d'une cabine publique à un certain numéro qui était sur répondeur. Il laissa un message sibyllin et retourna prendre un thé dans la gargote en face de sa boutique.

Content de lui.

*
* *

Le responsable du Guoanbu à Tokyo était furieux. Depuis plusieurs heures, il tentait de limiter

les dégâts causés par la stupidité de son agent. Bien
sûr, ce dernier avait été exfiltré sur la Chine aux
premières heures de la matinée. Salarié à l'agence
Chine Nouvelle, il allait en vacances. Mais les
conséquences restaient. Ils avaient tué un citoyen
japonais.

Ce qui était grave. La police japonaise arriverait à
connaître la vérité et ses soupçons se porteraient automatiquement sur le Guoanbu. Bien sûr, ils ne pourraient pas avoir de preuves mais ils seraient sans
illusion. Ce qui, dans l'avenir, pouvait poser des
problèmes.

Il rédigea un long message pour Pékin et proposa
une alternative pour se racheter. Ils n'avaient jamais
parlé à Maïko Nabu. Il commençait à se demander
si elle ne savait pas où se trouvait Lou Zhao. Seulement, pour la faire parler, il n'y avait pas trente-six
solutions : il fallait la kidnapper. Or, les Chinois
n'étaient pas comme les Nord-Coréens : ils ne
kidnappaient pas des citoyens japonais pour les
emmener dans leur pays. Il fallait donc, si cela se
faisait, utiliser une « safe house » du Guoanbu à
Tokyo. Avec les risques que cela comportait. Et
procéder de manière sophistiquée : ne pas liquider
la jeune femme mais s'arranger pour l'interroger
sous hypnose, de façon à ce qu'elle n'ait aucun
souvenir de ce qu'il lui était arrivé. Grâce aux
micros placés chez elle, ce serait facile de monter
un guet-apens.

Il descendit acheter des cigarettes et manger quelque chose dans un petit restaurant où il avait des habitudes. Goinfré de sushis, il remonta une demi-heure plus tard. La réponse de Pékin était sur son bureau, décryptée : on l'autorisait à kidnapper Maïko Nabu.

CHAPITRE XII

Lou Zhao se grisait de l'ambiance trépidante de Kowloon. Perdue dans la foule, elle descendit Nathan Road jusqu'au bras de mer séparant la presqu'île de l'île de Hong-Kong.

Arrivée en face de l'énorme hôtel Peninsula, la perle de Kowloon, elle s'immobilisa. Trois Rolls-Royce étaient garées devant, utilisées pour aller chercher les passagers VIP à l'aéroport. La Chinoise faillit entrer puis n'osa pas. Dans cet endroit luxueux, elle risquait de tomber sur des agents de sécurité, or, elle ne voulait pas prendre de risque.

Elle continua jusqu'au bout de Nathan Road puis, prit à droite, en direction de l'embarcadère du « Star ferry ». Un ferry était sur le point de partir et elle y monta. Depuis la création des tunnels réunissant Kowloon et l'île de Hong-Kong, ils n'étaient plus utilisés que par les rares piétons sans voiture.

Accoudée au bastingage, le visage fouetté par le vent, elle se sentit mieux, quoique toujours angoissée ; elle n'avait eu aucune nouvelle de

M. Wu Ho. A l'hôtel, elle avait l'impression d'être une ombre, un zombie. Personne ne lui avait rien demandé, elle ignorait sous quel nom elle était inscrite.

Elle se demanda combien de temps elle allait demeurer dans cette parenthèse risquée : elle se trouvait toujours en Chine et le Guoanbu n'avait sûrement pas cessé de la rechercher. Comment ses nouveaux « amis » allaient-ils la faire embarquer sur un vol international ? Même à Hong-Kong, il y avait des contrôles, bien que moins stricts que dans le reste de la Chine.

Le ferry ralentit : ils arrivaient à Hong-Kong.

*
* *

Malko avait récupéré un peu quand Philip Burton pénétra dans sa chambre. Il était près de midi.

— J'ai de bonnes nouvelles, annonça le chef de Station de la CIA.

— Elle a quitté la Chine ?

— Non, pas encore, mais c'est imminent. Elle se trouve en ce moment à Hong-Kong.

— Il faut absolument que je sorte d'ici, affirma Malko, je n'ai presque plus mal.

— Le docteur Marshall m'a dit que, si tout se passait bien, vous pourriez sortir demain. Seulement, il faudra être très prudent, votre blessure n'est pas encore cicatrisée.

– Il *faut* que je sorte, insista Malko. Je veux être là pour accueillir Lou Zhao.

L'Américain fit la moue.

– Ça risque d'être sportif, le Guoanbu, *aussi*, veut l'accueillir…

***

Pour se changer les idées, Malko appela Maïko Nabu qui ne put lui parler, étant avec des clientes. Elle rappela quelques instants plus tard.

– Je vais venir à l'hôpital quand je ferme la boutique, annonça-t-elle.

– J'ai bien envie de t'emmener dîner, proposa Malko, je n'en peux plus de la nourriture de cet hôpital.

– Tu vas en avoir la force ?

– Oui, je pense. Je vais demander que l'hôtel m'envoie une voiture et je passerai te prendre. Je voudrais aller dans un endroit calme. Le *Meiji Kinnonkon*.

– Alors, il faut que je me change, dit la jeune femme. Mais c'est une bonne idée. Tu vas manger de la *vraie* cuisine japonaise. Je serai là vers huit heures.

***

Cheng Dan, le patron du Guoanbu à Tokyo, acheva de lire le dernier rapport d'écoute de Maïko

Nabu. Il recevait tous les jours, en fin de journée, les comptes-rendus rédigés depuis le matin. Il se dit que le hasard lui apportait une opportunité formidable : il ne voulait pas kidnapper la Japonaise dans son quartier. En plus, les rues étroites de Shibuya étaient dangereuses, en cas de poursuite.

Il connaissait le restaurant Meiji Kinnonkon : celui-ci se trouvait à côté du Palais Impérial, dans une grande avenue, propice à une fuite rapide.

Il y avait peu de chances que Maïko Nabu soit protégée. Il n'aurait affaire qu'à son ami, handicapé par sa blessure et tout pourrait se passer en douceur.

La « safe-house » était déjà prête : un appartement dans une tour ultramoderne du quartier de Shinjuku, rarement occupé et pas repéré par la police japonaise. Il y avait un parking souterrain et là-bas les agents du Guoanbu auraient tout le temps de procéder à son interrogatoire.

Satisfait, il sortit de son bureau pour organiser le kidnapping. Grâce à cette providentielle écoute, il avait tous les éléments pour le réussir.

**

Il était sept heures et demie : Malko avait eu un mal fou à s'habiller. Dieu merci, il avait fait venir des vêtements de son hôtel. Il se regarda devant la glace : il était pâle mais présentable. Un grand trait rouge vif zébrait son flanc droit et il ne se sentait pas tout à fait dans son assiette.

Il revint dans la chambre. Philip Burton n'était pas au courant de son escapade. Il y aurait sûrement mis un véto. Or, Malko avait vraiment envie de se changer les idées. Comme chaque fois qu'il avait frôlé la mort, il avait une furieuse envie de faire l'amour.

On frappa un coup léger à la porte.

– *Come on in* !

Maïko Nabu avait mis son kimono de combat avec l'obi lui étranglant la taille et la pièce montée de ses cheveux. Son regard brillait d'une joie enfantine. Elle s'approcha de Malko et lui effleura les lèvres.

– J'aurais été très malheureuse si tu étais mort ! dit-elle sérieusement.

– Allons dîner, proposa Malko, qui mourait de faim. La voiture doit être en bas.

Il se sentait un peu bizarre et le Glock qu'il avait glissé à tout hasard dans la poche intérieure de son manteau, pesait lourd. Par précaution, il avait fait monter une cartouche dans le canon. Quinze coups.

La limousine du Hyatt était là et ils filèrent vers le centre de Tokyo.

Les gens dînaient plus tard et il y avait peu de voitures dans le parking. Le chauffeur descendit pour ouvrir les portières, Malko sortant par la droite et Maïko par la gauche.

– Allez dîner, proposa Malko au chauffeur et revenez dans une heure et demie.

Malko vit soudain trois silhouettes surgir de
l'ombre du parking, courant vers eux. Un des
hommes se jeta sur Maïko Nabu, la ceintura et
l'entraîna, ses pieds ne touchant pas le sol !

Les deux autres restèrent en écran entre la jeune
femme et Malko. Sans bouger. Tenant visiblement
Malko pour quantité négligeable.

Celui-ci demeura figé quelques secondes, puis les
hurlements de Maïko le frappèrent comme un coup
de poing.

Plongeant la main dans son manteau, il saisit le
Glock, l'empoigna à deux mains et visa un des deux
hommes, celui de droite.

Les détonations claquèrent, rapprochées. La cible
de Malko tituba et s'effondra au milieu du parking.
Le second se précipita vers lui. Malko tira encore,
sans le toucher.

Maïko Nabu hurlait comme une sirène. Tout à
coup, l'homme qui la tenait lança quelques mots à
ses compagnons puis la lâcha, courant vers son
camarade étendu à terre.

Perdant ses socques de bois, la Japonaise se
précipita vers Malko. Des gens commençaient à
sortir du restaurant.

Dans le parking, deux des hommes tiraient le
blessé ou le mort vers une grosse voiture, une
Mercedes arrêtée dans l'ombre.

Maïko Nabu se jeta dans les bras de Malko en
sanglotant. Les trois hommes étaient en train de

remonter dans la voiture, y poussant le blessé, la tête la première.

Le véhicule démarra, les portières encore ouvertes et disparut dans l'avenue Ushibori en direction du Palais Impérial.

Un maître d'hôtel se précipita vers Maïko Nabu et Malko.

– Que s'est-il passé ? demanda-t-il. Il y a eu des coups de feu. Nous avons appelé la police.

Malko regarda le parking. A part Maïko sanglotant et tremblante, on aurait pu croire que rien ne s'était passé. La police nippone allait sûrement poser des questions. Il rentra son pistolet et composa le numéro de Philip Burton.

Philip Burton était arrivé cinq minutes après la police japonaise. Les policiers étaient perplexes : de l'agression supposée, il ne restait plus rien. Comme ils n'avaient pas examiné le sol du parking, ils n'avaient pas découvert d'éventuelles taches de sang de l'homme touché par Malko. Maïko Nabu, briefée par Malko, avait récité sa leçon aux policiers japonais. Au moment où elle allait rentrer dans le restaurant, deux hommes avaient tenté de l'entraîner dans une voiture. Devant ses hurlements et la réaction de son compagnon, ils avaient fui en tirant en l'air pour éviter toute poursuite. Elle ne comprenait pas, pas plus que les policiers, le kidnapping était pratiquement inconnu au Japon.

La Japonaise obtint de venir faire sa déposition le lendemain au commissariat du quartier de Shibuya.

Le chef de Station de la CIA était resté à l'écart, les choses se déroulant bien. Il n'intervint que lorsque les policiers insistèrent pour emmener Malko afin de recueillir son témoignage, sortant sa carte de diplomate de l'ambassade américaine. Assurant qu'il se portait garant de Malko. Les policiers s'esquivèrent et Maïko Nabu, Philip Burton et Malko se retrouvèrent dans un petit salon d'attente du restaurant.

– Vous ne m'aviez pas prévenu que vous sortiez, reprocha-t-il à Malko. Ce n'est pas sérieux. J'aurais pu vous donner une protection.

– J'en avais une.

L'Américain hocha la tête.

– Heureusement que ces types ont emmené l'homme que vous avez touché dans leur voiture. Et qu'on ne vous a pas fouillé. Les armes à feu sont un sujet sensible au Japon… En tous cas, je ne vois que nos amis du Guoanbu pour s'être livrés à cette plaisanterie.

» Pourquoi enlever Mrs Nabu ?

– Je n'ai pas d'explication, avoua Malko. Ils pensaient peut-être qu'elle détenait des informations sur Lou Zhao. Il se tourna vers Maïko Nabu et demanda.

– Vous ne nous avez rien caché ? Vous ne savez pas où se trouve Lou Zhao ?

– Je vous ai tout dit ! protesta la Japonaise. Je ne sais rien sur elle. Je ne savais même pas qu'elle avait des liens avec vous.

Elle semblait bouleversée et sincère.

– Le Guoanbu *aussi*, peut se tromper, conclut Malko. Ils sont aux abois, c'est bon signe…

Un ange passa en ricanant.

Le chef de Station de la CIA ne parut pas apprécier l'humour de Malko.

– Je vais vous laisser dîner tranquilles. Mais, demain, j'irai voir mon homologue japonais pour lui dire que nous sommes sur une opération où vous êtes mêlé en tant qu'agent « noir » de la maison. Ils vont se poser des questions : deux agressions en trois jours, c'est beaucoup.

A peine était-il parti que les hôtesses surgirent pour aller les installer dans un petit salon.

– Je n'ai plus faim, avoua Maïko Nabu. Je ne pensais pas que la vie était aussi dure.

Elle se mit quand même à picorer les hors d'œuvres tandis que Malko se remontait le moral avec le saké. Demander de la vodka ici, eût été un sacrilège. D'ailleurs, ils n'en avaient probablement pas.

Ils dînèrent calmement d'un poisson, à la chair fade. En sortant du restaurant, il trouva la voiture du Hyatt garée devant. Etant parti, le chauffeur ignorait tout de l'agression dont avait été victime Maïko Nabu.

Celle-ci se serra contre Malko.

– Je ne veux pas rentrer chez moi toute seule, ils vont recommencer.

– Viens avec moi au Hyatt, suggéra Malko.

Il sentit Maïko Nabu se rétracter.

– Non, non, dit-elle, je ne suis pas une prostituée. Il n'y a qu'elles qui vont à l'hôtel avec des étrangers. En plus, j'ai un kimono. Ce serait une insulte à mes ancêtres.

– Qu'est-ce qu'on fait, alors ? demanda Malko.

– J'ai une idée, lança Maïko. On va aller dans un « love hotel » ! Il y en a un très bien, pas loin d'ici, en face de la gare d'Akasaka.

Les « love hotels » étaient une spécialité japonaise. Construits souvent près des gares, ils permettaient aux couples de s'isoler toute la nuit ou quelques heures. Finalement, ils étaient souvent utilisés par des Japonais ayant passé une soirée trop arrosée et ayant raté leur dernier train ; moins cher que les grands hôtels, c'était pratique…

Maïko Nabu donna l'adresse au chauffeur. C'était à dix minutes de là : un bâtiment moderne d'une trentaine d'étages, avec un hall minuscule. Ici, on ne venait pas avec des bagages.

– Demandez la chambre, souffla Maïko Nabu, moi j'ai honte.

Elle resta en retrait tandis que Malko s'approchait de la réception. Un employé indifférent lui

montra les différentes catégories de chambres :
standard, luxe, luxe spécial. Il choisit cette dernière
catégorie, sans trop savoir où il s'engageait. Au
30ème étage.

Après avoir poussé la porte, Maïko poussa une
petite exclamation : c'était la galerie des glaces !
Les murs étaient tapissés de miroirs ! Au milieu, un
lit très bas, deux mètres sur deux. Une musique
douce baignait les lieux. Les rideaux étaient tirés.
On aurait pu être n'importe où.

Maïko Nabu gagna la salle de bains et Malko
entendit de nouveau une exclamation.

C'était une salle de bains luxueuse, mais, en sus
des équipements habituels, il y avait des poignées et
des courroies un peu partout qui permettaient d'atta-
cher quelqu'un dans différentes positions.

Il ne manquait qu'une cravache Hermès, mais la
réception en avait sûrement en location.

Revenu dans la chambre, Malko s'approcha de
Maïko et la prit dans ses bras.

– Je suis désolé de t'avoir entraînée dans cette
histoire.

La Japonaise, rassérénée par le saké, pouffa.

– Non, c'est amusant. Je découvre un monde
inconnu. Je n'aurais jamais osé aller dans un *rabu
hoteru*…

Malko la contemplait : même en kimono, elle
était extrêmement désirable. Pourtant, avec la pièce
montée de ses cheveux, enrichis de postiches et de

boules de cartons pour les gonfler et le kimono qui écrasait sa poitrine, donnant à la jeune femme une silhouette cylindrique, ce n'était pas vraiment une tenue sexy...

Maïko lui adressa un sourire presque salace.

– Tu as envie de me faire l'amour ?

– Bien sûr, avoua Malko, mais cela ne paraît pas facile. Comment enlèves-tu ta tenue ?

– On ne l'enlève pas, dit simplement Maïko.

Elle alla jusqu'au lit et s'y allongea sur le dos. Toujours engoncée dans son kimono.

– Viens, dit-elle. Ecarte les deux pans du kimono.

Malko lui obéit et tout le bas du kimono s'ouvrit, découvrant les jambes et les cuisses.

Jusqu'au bas-ventre. Malko eut un petit choc : Maïko ne portait pas de culotte.

Devant sa surprise visible, Maïko sourit.

– Sous un kimono, dit-elle, on ne porte rien.

Malko commença à la caresser et elle ferma les yeux. Sa main s'était posée sur le pantalon d'alpaga et elle le massait doucement. Quand elle sentit sous ses doigts le sexe gonflé à souhait, elle le libéra et dit doucement.

– Viens.

Malko eut l'impression de faire l'amour avec une femme dédoublée. Les jambes ouvertes, le ventre nu, Maïko l'accueillait comme une vraie femelle. Mais, lorsqu'il la regardait, il ne voyait qu'un strict kimono et cette extraordinaire coiffure en choucroute…

Ce qui n'empêcha pas la Japonaise de prendre beaucoup de plaisir et de l'exprimer…

Malko retomba à côté d'elle, détendu.

Pendant quelques minutes, il ne se passa rien, puis Maïko se releva, rabattit les pans du kimono et s'agenouilla sur le lit.

De nouveau, elle était absolument convenable… Avec un sourire espiègle, elle se pencha sur le ventre de Malko.

– Imagine-toi que je suis une geisha que tu as payée 100 000 yens.

Elle engouffra le sexe de Malko dans sa bouche pour lui administrer une fellation d'anthologie. Celui-ci regardait leurs deux silhouettes reflétées à l'infini dans les miroirs. C'était vraiment du dépaysement…

Lorsqu'elle accéléra le mouvement de sa bouche, son magnifique chignon donna des signes de faiblesse, puis s'écroula à moitié. Juste comme elle recevait la semence de Malko.

Celui-ci se laissa aller avec un long cri de plaisir, et Maïko demeura dans la même position, son sexe encore enfoncé dans sa bouche. Comme si elle ne voulait pas interrompre cette parenthèse.

Détendu, Malko remit son cerveau en route. Se demandant s'il verrait un jour la fantomatique Lou Zhao. Celle à cause de qui il était à Tokyo.

CHAPITRE XIII

Le téléphone fit sursauter Lou Zhao. Elle crut d'abord que c'était une erreur : personne ne connaissait sa présence à Kowloon. Elle se décida quand même à répondre. Une voix d'homme annonça :

— Je suis en bas, vous pouvez descendre.

Elle crut reconnaître la voix de M. Wu Ho, sans en être certaine.

Lorsqu'elle débarqua dans le petit lobby, elle l'aperçut en compagnie d'un autre homme, petit, assez gros, les cheveux très courts, le visage plat.

Wu Ho s'avança et lui serra la main.

— Venez à la cafétéria, proposa-t-il.

Lorsqu'ils furent installés, à côté d'un groupe bruyant de touristes belges et qu'ils eurent du thé, Wu Ho se pencha vers Lou Zhao.

— Nous avons calé tous les problèmes de votre voyage.

Lou Zhao l'aurait embrassé.

— Je pars quand ?

— Demain ou après-demain. Il faut vous tenir prête. Nous n'avons pas encore le vol.

– Mais comment vais-je passer l'immigration et la douane ?

– Nous y veillons. Il n'y aura pas de problème. Nous vous fournirons un passeport que vous utiliserez ensuite pour votre entrée au Japon. Après, il faudra le détruire. Vous ne me reverrez plus, c'est mon ami, Henan Li, qui viendra vous chercher à l'hôtel. Il vous appellera une heure avant.

– C'est tout ?

– Non, vous emporterez avec vous un vase ancien qui sera accompagné de tous ses papiers : vous le remettrez à quelqu'un en arrivant à Manille.

Il regarda sa montre et se leva. Henan Li qui n'avait pas ouvert la bouche, fit un signe de tête à Lou Zhao. Elle regarda les deux hommes sortir de l'hôtel. Ils avaient des physiques banals, mais quelque chose d'étrange se dégageait d'eux. On sentait que ce n'étaient pas des gens ordinaires. Soudain, Lou Zhao pensa aux Triades et eut une illumination. Elle connaissait leur pouvoir.

Elle était si contente qu'elle décida d'aller se promener, visiter Hong Kong, où elle ne remettrait vraisemblablement jamais les pieds.

***

Malko retrouva avec joie sa chambre du Hyatt. Il se sentait encore faible, mais sa blessure ne lui faisait plus mal ; il avait bien ressenti quelques

pointes douloureuses en faisant l'amour avec
Maïko, mais c'était supportable. De nouveau, il
n'avait rien à faire en attendant l'arrivée probable
de Lou Zhao.

Il se demandait vraiment quel secret elle pouvait
détenir pour être l'objet d'une opération d'exfiltration aussi chère et aussi sophistiquée de la part de la
CIA.

Son portable sonna : Philip Burton.

– Maïko Nabu est sous notre protection depuis
ce matin, annonça-t-il. Je lui ai affecté deux « *case-
officers* » *around the clock.* Ils se relaieront, en ne
la quittant pas d'une semelle. Ce n'est plus la peine
de se cacher : le Guoanbu sait désormais qui vous
êtes.

» En ce moment même, elle est à la boutique et
nos deux gars sont dans les parages. La nuit
prochaine, ils resteront dans leur voiture, en
planque.

– Ce ne serait pas plus simple de l'emmener dans
une safe-house ? suggéra Malko.

– Elle ne veut pas. Elle doit s'occuper de sa
boutique.

– Vous n'avez pas de nouvelles de Lou Zhao ?

– Rien encore.

– Pourquoi ne la récupérez-vous pas avec des
gens de la Station ?

L'Américain éclata de rire.

– Pour deux raisons. D'abord, vous avez assez
payé de votre personne pour avoir l'honneur de la

débriefer. Ensuite, pour tout vous dire, je n'ai personne d'assez sophistiqué. Tenez-vous prêt.

*
* *

Cheng Dan, le patron du Guoanbu de Tokyo, sous couverture de Second secrétaire de l'ambassade, avait convié dans son bureau toute l'équipe qui s'occupait de Lou Zhao.

– Pékin est furieux ! annonça-t-il. Cela fait deux opérations ratées, qui nous ont fait remarquer par la police japonaise. En plus, les Impérialistes sont désormais sur leurs gardes. Ils ont donné une protection à l'amie de Lou Zhao, Maïko Nabu.

– Vous croyez qu'elle a un rôle important à jouer ? demanda son adjoint.

– Je le pense, confirma Cheng Dan. Sinon, ils ne la protégeraient pas ainsi. Je crois qu'elle sera la première à avoir des nouvelles de cette chienne de Lou Zhao.

– Rien de nouveau sur elle ?

– Rien. Elle n'a utilisé ni son portable, ni ses cartes de crédit. Ou elle est cachée quelque part en Chine, ou elle est en cours d'exfiltration.

– Nous avons arrêté ses parents, son oncle et une de ses tantes. Ils sont détenus au secret, mais ils ne savent rien.

– Quelles sont les consignes si nous mettons la main sur elle ? demanda son adjoint.

Cheng Dan le fixa froidement.

– Vous la liquidez. Cette femme détient un secret important. Il faut à tout prix l'empêcher d'avoir un contact avec les Impérialistes.

– Comment va Jiu Zuan ?

L'homme blessé par Malko pendant la tentative de kidnapping.

– Il survivra, dit l'adjoint. Nous l'avons fait hospitaliser dans un hôpital qui dépend de la *Chosen* de Corée du Nord. Il est en sécurité. Mais il a reçu une balle dans le poumon droit. Renforcez la surveillance autour de cette Japonaise. C'est notre seule piste.

Vingt-quatre heures s'étaient écoulées et Lou Zhao était sur les nerfs, sursautant au moindre bruit. Aucune nouvelle de ses sauveurs…

Désormais, elle connaissait Hong Kong sur le bout des doigts, mais n'avait toujours pas osé aller au Peninsula. Elle se nourrissait dans de petits restaurants anonymes de "street lord" [1] et ne parlait à personne. L'hôtel était un joyeux caravansérail parcouru de groupe de « back-pakers » vociférant, grossiers et intéressés par les putes.

L'un d'eux avait bien dragué Lou qui l'avait rembarré si froidement qu'il l'avait dit à ses copains.

1. Restaurants en plein air.

Ses « amis » avaient choisi cet hôtel où on pouvait demeurer anonyme.

La sonnerie du téléphone lui envoya une formidable décharge d'adrénaline dans les artères. Elle se précipita pour répondre. Une voix inconnue annonça :

– Je suis en bas.

Ce ne pouvait être que Henan Li. Le Chinois s'approcha d'elle :

– Remontez chercher votre valise, nous partons.

Elle était si émue qu'elle n'osa poser aucune question. Cinq minutes plus tard, elle était de retour dans le hall avec sa petite valise à roulettes.

Elle suivit Henan Li qui appela un taxi et demanda de les conduire à la station Jordan. Arrivé là-bas, il prit deux billets pour l'aéroport Chep Lak Kok, à une vingtaine de kilomètres. Le train « airport express » mettait environ vingt-cinq minutes pour y parvenir.

Dès qu'il fut dans le train, Henan Li tendit à Lou Zhao un passeport.

Elle l'ouvrit, il était établi au nom de Yuyan Lou, habitant Pékin, âgée de quarante-deux ans. Ses pages comportaient plusieurs cachets : il avait déjà servi.

La photo n'était pas elle, mais ce n'était pas frappant.

– Cela ne posera pas de problème, affirma le Chinois.

– Quand est-ce que je pars ?

– Par le vol China Southern Airline de 14 h 15 pour Manille, il y a trois heures de vol.

Lou Zhao regardait le paysage qui défilait : la Chine qu'elle ne reverrait plus. Le train passait d'île en île grâce à des ouvrages d'art à couper le souffle.

Enfin, il stoppa dans une gare ultramoderne et ils se mêlèrent au flot de voyageurs pour prendre l'escalator jusqu'au hall des départs. Lou Zhao sentit son pouls s'accélérer en voyant les silhouettes bleues de policiers. Il y avait sûrement des agents du Guoanbu dans l'aéroport. Elle suivit Henan Li jusqu'à un café assez élégant. Un homme attendait à une table du fond, un gros paquet à côté de lui, enveloppé dans du plastique transparent. Lou Zhao distingua les formes d'un vase de jade. Elle s'assit et Henan Li annonça :

– Mon rôle est terminé. Mon ami Sun va s'occuper des dernières formalités.

Il se leva, sans même avoir commandé et se perdit dans la foule du Terminal.

Sun ouvrit la bouche pour la première fois.

– Vous avez le passeport qu'on vous a remis ?

– Oui.

Il plongea dans sa poche et en sortit un billet d'avion avec une carte d'embarquement et le tendit à Lou Zhao.

– Voilà votre billet. C'est un aller-retour Hong-Kong-Manille-Hong-Kong. Vous ne garderez pas le retour. Votre vol décolle dans une heure quinze.

– Qu'est-ce que je fais ? demanda Lou Zhao, la gorge serrée par l'émotion.

– Ce que je vous dis. Je vais vous accompagner jusqu'à la salle de départ. Pour passer la douane et l'Immigration. Vous n'avez rien à craindre. Voici ce que vous allez emmener.

Il prit le paquet et le posa sur la table : il s'agissait d'un vase assymétrique en jade de trente centimètres de haut, soigneusement enveloppé. Sun tendit à Lou Zhao une liasse de documents.

Voici la facture de cet objet, acheté au *Chinese Emporium de Chatam road* à Kowloon. Avec un certificat garantissant qu'il s'agit d'une copie sans valeur, vendue pour 250 dollars. Vous montrerez ce certificat à la douane.

Lou Zhao le regarda, étonnée, et il ajouta aussitôt.

– Ce n'est pas une copie, mais une pièce authentique qu'on n'a pas le droit légalement de sortir de Chine. Un collectionneur étranger en offre un prix très intéressant. Ne la laissez pas tomber.

– Je vais aux toilettes, dit la jeune femme.

Elle se leva. La tête lui tournait. Tout cela lui semblait totalement irréel : poursuivie par le Guoanbu, elle allait sortir de Chine en exportant clandestinement une œuvre d'art ! Il fallait que ses « protecteurs » soient extrêmement puissants…

En repassant devant le tableau d'affichage, elle leva les yeux : le vol des China Southern Airlines était à l'heure.

M. Sun n'avait pas bougé. Ils burent encore un peu de thé et il regarda sa montre.

– Nous allons y aller.

Elle le suivit passivement jusqu'aux portes d'embarquement. Un couloir annonçait « objets à déclarer ». Sun s'y engagea et elle le suivit. Un douanier en uniforme inspectait les passagers. La gorge sèche, Lou Zhao lui tendit les documents accompagnant le vase. M. Sun se tenait derrière elle. Le douanier examina les papiers puis releva la tête. Lou Zhao le vit regarder par-dessus son épaule et il lui rendit les documents sans un mot.

Elle continua, Sun sur ses talons. Le douanier avait fait comme s'il était invisible.

Ils arrivèrent aux guichets de l'Immigration. Un des couloirs avait beaucoup moins de monde que les autres. Lou Zhao s'y dirigeait lorsque Sun la prit par le bras.

– Non, pas celui-là.

Il se dirigea vers un des couloirs où la queue s'allongeait sur vingt mètres. Cependant, au lieu de se mettre dans la file, il la remonta tranquillement, sous le regard bovin des passagers. En Chine, on était habitué aux passe-droits.

Arrivé devant le guichet, il frappa un coup sec à la glace de séparation. L'officier d'immigration – un jeune Chinois à lunettes – s'interrompit et passa la main pour attraper le passeport de Lou Zhao. Il n'ouvrit qu'une page pour y mettre un tampon rapide et le lui rendit.

Déjà, Sun poussait Lou Zhao en avant. Elle n'en croyait pas ses yeux : ils se trouvaient dans le grand couloir bordé d'innombrables boutiques qui menait aux salles de départ. Ils n'étaient plus *vraiment* en Chine.

A part sa carte d'embarquement, Lou Zhao n'avait plus le moindre contrôle à subir...

M. Sun la mena jusqu'à la salle de départ pour Manille où patientaient déjà une trentaine de passagers et esquissa un sourire.

Je vous souhaite un bon voyage, fit il. A Manille, vous remettrez l'objet à un homme, un Chinois, qui portera une pancarte : Madame Wang.

» Ensuite, vous êtes libre...

Elle l'était déjà et dut s'asseoir, les jambes coupées devant la facilité de son exfiltration.

Monsieur Sun s'éloignait dans la galerie marchande, silhouette anonyme dans la foule des passagers.

Lou Zhao ne pouvait pas savoir qu'il s'appelait en réalité Si Hai Pang et que c'était la « Tête de Serpent » de la Triade *Sun Yee On*, à Hong Kong. Un des hommes les plus puissants de l'île.

***

Malko rongeait son frein. Aucune nouvelle de Lou Zhao depuis le message de Langley annonçant que son exfiltration était en cours.

Il venait de déjeuner avec Philip Burton, lui aussi sur des charbons ardents. Aucune nouvelle du Guoanbu non plus, mais les « *case-officers* » affectés à la protection de Maïko Nabu avaient repéré des Chinois dans le quartier.

Cela devenait surréaliste.

Pour sa part, Maïko Nabu se terrait. Le choc en retour de son kidnapping raté. Elle parlait au téléphone à Malko, mais refusait de le voir.

Elle avait peur.

Après l'excitation de découvrir un nouvel univers, son prudent côté japonais reprenait le dessus. Parfois même, elle regrettait de connaître Lou Zhao…

Malko se préparait à se coucher quand son portable sonna. Philip Burton.

– Je suis tout près du Hyatt, dit-il, je passe vous voir.

Malko lui donna rendez-vous dans le bar et se rhabilla. L'Américain débarqua dix minutes plus tard. Visiblement très excité.

– Langley vient de me transmettre un message, annonça-t-il. Avec malheureusement un peu de retard : Lou Zhao a pu quitter la Chine, grâce à l'appui d'une Triade. Elle est arrivée à Manille ce soir.

– A Manille ? Pourquoi ?

– Je n'en sais rien. Mais elle va finir par rejoindre Tokyo. Il ne faut pas la rater, parce que nous ne sommes pas les seuls à l'attendre.

CHAPITRE XIV

Lou Zhao présenta son faux passeport chinois à l'officier d'Immigration philippin qui y jeta un regard distrait et le tamponna. Il était six heures quinze et la chaleur poisseuse qui régnait dans l'aéroport la prit à la gorge.

Tenant son précieux paquet au creux de son bras et sa petite valise dans l'autre main, la Chinoise se hâta vers la sortie. Au premier rang de la foule, elle aperçut un homme brandissant une pancarte portant « Mme Wang ». Vol de Hong-Kong. La Chinoise se dirigea vers lui.

– C'est moi que vous attendez ? demanda-t-elle.

L'homme, un Chinois, l'examina rapidement et demanda en chinois avec l'accent de Shanghai :

– Vous avez le paquet ?

Elle lui tendit le vase.

– Le voilà.

Lâchant sa pancarte, il s'en empara, l'examina rapidement et, aussitôt après, fit demi-tour et s'éloigna dans la foule ! Sans même dire au revoir à

Lou Zhao ! Celle-ci se retrouva plantée au milieu de la foule, ne sachant que faire. De toute façon, elle ne voulait pas rester à Manille.

Elle franchit la douane et remonta par l'escalier mécanique à l'étage des départs.

Avant tout, gagner Tokyo.

Elle parcourut le tableau d'affichage des départs : il n'y avait aucun vol pour Tokyo. Découragée, elle se dirigea vers le comptoir des « All Nippon Airways » le moins encombré.

Ils avaient un vol pour Tokyo le lendemain, à huit heures et un second à onze heures quinze. Lou Zhao choisit le second : elle avait absolument besoin de se reposer. Son billet pour Tokyo en poche, elle se dirigea vers le bureau du tourisme : il y avait un Hilton tout près de l'aéroport. Elle prit un taxi et s'y fit conduire. N'arrivant pas encore à croire qu'elle était sauvée.

Le Hilton était totalement impersonnel. La chambre aussi. Elle s'allongea sur son lit sans se déshabiller. Pour la première fois depuis son départ de Pékin, elle remit sa batterie dans son portable, mais elle était déchargée et elle mit l'appareil en charge.

Ayant mangé dans l'avion, elle n'avait même pas faim. Elle se contenta de prendre un long bain, se détendant enfin après ces six jours d'angoisse.

Quand elle sortit de la baignoire, elle alla directement s'allonger et s'endormit, enroulée dans une serviette.

*
* *

Cheng Dan, le responsable du Guoanbu à Tokyo, trouva une note brève envoyée par Pékin : quelqu'un avait utilisé la carte Visa de Lou Zhao pour acheter un billet d'avion Manille-Tokyo.

Deux heures plus tôt.

Le Chinois se sentit envahi par le découragement. Ainsi, tous leurs efforts pour empêcher Lou Zhao de sortir de Chine avaient été vains ! Les Améri cains étaient vraiment très forts, car elle n'y était pas arrivée toute seule.

Il était encore plongé dans ses réflexions quand on lui apporta un second message. Le poste du Guoanbu à Manille s'était mis à la recherche de Lou Zhao, mais elle allait débarquer à Tokyo : il fallait donc redoubler de vigilance et surveiller tous les vols arrivant à Tokyo en provenance de Manille. C'était une priorité absolue.

*
* *

Lou Zhao n'arrivait pas à dormir, se tournant et se retournant dans son lit. Elle regarda sa montre : une heure dix du matin. Grâce aux doubles vitrages, elle n'entendait aucun bruit de l'extérieur, se trouvant comme dans un cocon. Elle jeta un coup d'œil à son portable : il était en partie chargé.

Elle mourait d'envie de parler à sa copine Maïko, mais se dit qu'elle devait dormir.

Alors, elle lui tapa un SMS très court :

« J'ai eu beaucoup de problèmes, je t'expliquerai. J'arrive demain matin de Manille à Narita. Le vol 342. Je viendrai aussitôt te voir à la boutique ».

Satisfaite, elle se recoucha. Elle avait hâte d'être à Tokyo pour se débarrasser du secret qui lui avait valu tant de problèmes. Tout cela semblait un long cauchemar d'où elle avait hâte de sortir.

**

Maïko Nabu se réveillait tôt. D'un coup d'œil, elle vérifia son portable et découvrit qu'elle avait un SMS.

Lorsqu'elle l'eut regardé, elle demeura figée. Ainsi, Lou Zhao était toujours vivante et serait à Tokyo dans quelques heures ! Elle ne donnait pas l'heure d'arrivée de son vol. Son premier réflexe fut de prévenir Malko. Elle composait déjà son numéro lorsqu'elle pensa aux écoutes chinoises. Si elle l'appelait, le Guoanbu, qui n'écoutait peut-être pas son téléphone mais tous les bruits de la pièce, allait être prévenu en même temps que lui.

Fiévreusement, elle tapa alors un SMS. Les Chinois ne pouvaient pas connaître son contenu. Il était très court.

« Elle arrive aujourd'hui de Manille par le vol 342 All Nippon Airways. Passe à la boutique ».

Ensuite, elle fila sous sa douche, rassurée.

*
* *

Malko entendit le couinement du portable annonçant l'arrivée d'un SMS et activa son écran.
Lorsqu'il eut lu le texte, il faillit bondir de joie.

L'opération exfiltration avait réussi. Il ignorait
pourquoi Lou Zhao arrivait par Manille, mais elle
arrivait ! Il appela aussitôt la réception.

– Je veux savoir à quelle heure arrive le vol de
Manille All Nippon Airways 342, demanda-t-il.

L'employé le rappela quelques instants plus tard.

– Ce vol arrive à 2 heures 17, s'il est à l'heure,
annonça-t-il, à l'aéroport Narita.

Malko était déjà sous sa douche. Il n'était que
huit heures du matin, et ils avaient le temps de
s'organiser. Et surtout, de veiller à ce que le
Guoanbu ne soit pas au courant. Dès qu'il fut prêt, il
appela Philip Burton.

– Je serai à l'ambassade dans une demi-heure,
annonça-t-il.

Il n'en dit pas plus, ignorant si le Guoanbu parve-
nait à écouter les conversations de l'ambassade
américaine.

*
* *

Philip Burton regarda longuement le SMS de
Maïko Nabu, puis tendit l'appareil à Malko.

– On y est arrivé ! fit-il, soulagé.

– Pas encore, releva Malko. Elle arrive à Tokyo, mais nous devons être les seuls à le savoir.

– Voilà ce que je vous propose : les gens du Guoanbu doivent surveiller notre ambassade. On va donc leur donner le change. Je vais envoyer en fin de matinée une équipe renforcée à la boutique de Maïko Nabu, afin de leur faire croire que nous savons que Lou Zhao arrive, mais sans plus. Pendant ce temps-là, vous allez filer à Narita avec une voiture de la Maison, qui vous retrouvera là-bas. Allez-y en taxi, c'est plus sûr.

– Et ensuite ?

– Vous l'amenez ici, bien entendu. J'envoie immédiatement un message à Langley. Prenez de la marge, bien que les vols soient rarement en avance.

– J'espère que le Guoanbu n'est pas au courant, remarqua Malko. Nous ignorons leurs moyens. Je ne vais pas passer à la boutique de Maïko, ils pourraient me repérer et me suivre. C'est inutile, nous avons l'heure d'arrivée. Par contre, faites passer le message à un de vos « *case-officers* » pour la rassurer. Qu'elle sache que j'ai bien reçu son SMS.

– OK, approuva Philip Burton, je vais appeler le type que vous retrouverez à l'aéroport.

Malko attendit qu'il ait convoqué un des agents de la Station. Un homme d'une trentaine d'années, très américain, athlétique.

– Je vous présente le « *junior case-officer* » Martin Snowdon, annonça le chef de Station.

Il expliqua la situation à Martin Snowdon et précisa pour Malko.

— Martin sera avec un chauffeur de l'ambassade. La voiture est une Ford noire en plaques CD. Il sera là-bas une demi-heure avant l'arrivée du vol. Garé à l'extérieur, devant les arrivées. Seul, car les véhicules ordinaires n'y ont pas le droit de stationner.

» Donc, je vous attends entre trois et quatre heures. Appelez-moi dès que vous l'aurez récupérée.

Ils se serrèrent longuement la main. Du coup, Malko ne sentait plus sa blessure au flanc.

*
* *

Deng Yuan, agent du Guoanbu à Manille, faisait la tournée des hôtels entourant l'aéroport de Manille depuis l'aube, assisté de trois autres Chinois. Grâce à l'interception du portable de Lou Zhao, ils savaient qu'elle repartait pour Tokyo le jour même. Le chef du Guoanbu aux Philippines avait des consignes strictes et précises : trouver le capitaine Lou Zhao, et l'abattre, quels que soient les risques pour celui qui le ferait.

On s'arrangerait ensuite avec les Philippins.

Il ressortit du Holiday Inn déçu, elle n'était pas là non plus. Il se dirigeait vers un Hyatt lorsque son portable sonna : son adjoint Lee Wong.

— Nous l'avons retrouvée ! annonça l'agent du Guoanbu. Elle a couché au Hilton.

– Quelle chambre ? Allez la « traiter ».

– Elle est partie, avoua piteusement le Chinois. Il y a déjà longtemps, après avoir payé. Pour l'aéroport.

Deng Yuan jura et sortit de sa poche l'horaire des vols pour Tokyo. Le premier vol était à huit heures quarante. Il était huit heures moins le quart.

– On fonce à l'aéroport, glapit-il, elle est peut-être encore là.

***

Lou Zhao s'était réveillée à six heures trente. Le stress et l'énervement. Elle avait très largement le temps pour le vol de onze heures trente. Et, soudain, elle n'eut plus envie de rester une minute de plus à Manille. Il fallait qu'elle se débarrasse de son secret, qu'elle respire.

Elle appela la réception.

– Appelez *All Nippon Airways*. Demandez-leur s'ils auraient une place sur le premier vol pour Tokyo. Je suis réservée sur le second, mais je voudrais partir maintenant.

La réception la rappela pendant qu'elle était dans la salle de bains.

– Ils ont une place en business, annonça-t-on. En éco, c'est complet.

– Prenez-la, ordonna Lou Zhao.

Elle n'en était plus à un millier de dollars près. La CIA se montrerait sûrement généreuse avec elle.

Dix minutes plus tard, sans même avoir pris une douche, elle payait sa note et montait dans un taxi.

Au comptoir d'*All Nippon Airways*, elle échangea son ticket pour une place en business et paya la différence. Il était temps : l'embarquement avait lieu dix minutes plus tard.

* * *

Deng Yuan arriva, essoufflé, au comptoir du vol de Tokyo et s'approcha de l'employée du desk, une Philippine mafflue. Avant même qu'il ait ouvert la bouche, elle lui annonça avec un sourire désolé.

– Trop tard, sir, les passagers sont déjà en train d'embarquer. Cependant, nous avons un vol à 11 heures 30.

Deng Yuan était déjà parti. Il se plaça un peu à l'écart et appela son bureau pour qu'on transmette l'information à Tokyo.

Il restait désormais au Guoanbu de Tokyo près de trois heures pour intercepter et liquider le capitaine Lou Zhao sous le nez des Américains.

CHAPITRE XV

Philip Burton venait de recevoir la liste des passagers du vol 342 Manille-Tokyo et la parcourait pour s'assurer de la présence de Lou Zhao sur le vol. Grâce à ses contacts japonais, il pouvait se procurer, via ses homologues, les listes de tous les vols arrivant ou partant de Tokyo.

Il n'avait pas vu le nom de Lou Zhao et relut deux fois la liste, de plus en plus angoissé. Ce n'était pas possible ! Fiévreusement, il appela son homologue : il fallait gagner du temps.

– J'ai besoin de connaître si un certain passager, Mme Lou Zhao, se trouve dans le premier vol de Manille-Tokyo de la journée, demanda-t-il au chef du *Naicho*.

Le Japonais le rappela dix minutes plus tard.

– Il y a bien une personne de ce nom sur ce vol. Le vol arrive à Tokyo Narita à onze heures dix. Il est à l'heure d'après la compagnie.

La tête dans les mains, Philip Burton réfléchit à son problème. S'il était au courant, le Guoanbu pouvait l'être aussi. Et avoir envoyé une équipe à l'aéroport pour liquider Lou Zhao. Il était dix heures et demie. Malko, même en partant tout de suite, arriverait trop tard.

Il fallait absolument gagner du temps. Il pensa à faire diffuser un appel pour Lou Zhao par les haut-parleurs de l'aéroport, mais les agents du Guoanbu l'entendraient aussi. Et, peut-être que Lou Zhao n'y prêterait pas attention. Il n'y avait qu'une solution. De nouveau, il appela son ami japonais, Kamakura Seben.

– Il faudrait que la police des frontières retienne quelque temps une personne qui arrive de Manille, expliqua-t-il. Sous un prétexte quelconque. Il s'agit de protéger sa vie : des agents du Guoanbu chinois l'attendent probablement pour l'assassiner.

Il expliqua la situation au chef du renseignement japonais. Ce dernier accepta aussitôt.

– Je vais les prévenir. Elle ne franchira pas la douane et la police, donc elle sera à l'abri. Je vous rappelle pour vous donner le nom de la personne qui s'occupera d'elle à Narita.

*

L'horloge au centre du hall de Narita, au-dessus du « meeting point » affichait onze heures trente. Le vol en provenance de Manille s'était posé vingt minutes plus tôt.

Les quinze agents du Guoanbu – pratiquement l'effectif complet du Poste – s'étaient répartis dans le hall, surveillant toutes les sorties. Ils avaient quatre voitures et l'ordre de tuer. Chacun possédait une photo de Lou Zhao.

Il n'y avait qu'une sortie de la zone sous douane.

Les passagers du vol de Manille commencèrent à apparaître, scrutés par les agents du Guoanbu. D'abord, quelques-uns, isolés, puis ils devinrent de plus en plus nombreux… Enfin, le flux se tarit, ne laissant passer que quelques passagers.

Puis, plus rien.

Cheng Dan trépignait.

Où était passée Lou Zhao ?

Finalement, il se décida à aller trouver un employé de la « All Nippon Airways ».

— Est-ce que tous les passagers du vol de Manille sont sortis ? demanda-t-il.

— Absolument, sir.

— Il n'y a pas de retardataire ?

— Non, sir, aujourd'hui, personne n'a égaré de bagage…

C'était à ne rien comprendre : son homologue de Manille avait bien garanti que la Chinoise se trouvait sur *ce* vol. Il s'isola pour appeler son bureau.

— Restez sur place, ordonna le patron du Poste. Nous allons essayer de comprendre ce qui se passe. Vous êtes sûr de ne pas l'avoir *ratée* ?

— Certain.

– Elle va probablement arriver par le vol qui part
à onze heures dix, conclut-il.

* * *

Malko fonçait sur l'autoroute Tokyo-Narita, dans
une Ford de l'ambassade américaine, avec trois
« *case-officers* ». En liaison constante avec Philip
Burton. L'aéroport se trouvant à 70 kilomètres du
centre de Tokyo, il fallait environ une heure.

Le vol s'était posé depuis vingt bonnes minutes,
mais Philip Burton avait assuré Malko qu'il n'y
aurait pas de problème. Les ordres étaient simples :
l'exfiltrer de l'aéroport, si possible par une voie
détournée et l'emmener à l'ambassade.

* * *

Le policier japonais qui interrogeait Lou Zhao
étala sur la table de son bureau les deux passeports
de la Chinoise. Dès que celle-ci s'était présentée à
l'Immigration, l'officier à qui elle avait tendu son
passeport l'avait soigneusement examiné avant de
lui demander de la suivre dans un petit bureau, pour
un contrôle de routine.

Celui qui l'occupait, un capitaine de l'armée
japonaise, s'était montré très aimable, mais lui avait
demandé de vider son sac sur le bureau, repérant
immédiatement les deux passeports.

– Pourquoi possédez-vous deux passeports, Miss ? demanda-t-il. L'un, à votre nom, ne comporte pas de tampon de sortie de Chine, mais a un visa japonais. Le second, qui n'est pas à votre nom, a été utilisé pour sortir de Chine, mais ne comporte pas de visa japonais.

Lou Zhao essaya de ne pas perdre son sang-froid. Désormais, rien de grave ne pouvait lui arriver.

– Je suis sortie de Chine clandestinement, avoua-t-elle, avec un faux passeport. Je suis une dissidente.

– Comment puis-je savoir que vous dites la vérité ? objecta le Japonais.

Lou Zhao, cette fois, ne se troubla pas.

– Appelez l'ambassade américaine. Demandez le chef de Station de la CIA, dit-elle. J'ignore son nom, mais il existe. Dites-lui que vous détenez une personne du nom de Lou Zhao. Le capitaine de l'ALP Lou Zhao.

– Nous ne vous détenons pas, objecta l'officier japonais, nous vous interrogeons. Je ne suis pas habilité à appeler l'ambassade américaine, mais je vais en référer à ma hiérarchie. Installez-vous dans la pièce voisine. Vous désirez un thé ?

Lou Zhao accepta. Le Japonais laissa la porte ouverte. Elle l'entendit parler au téléphone longuement en japonais, langue qu'elle ne comprenait pas. Dix minutes plus tard, l'officier réapparut, souriant.

– Une personne de l'ambassade américaine va venir vous chercher, Miss Zhao, annonça-t-il. Restez là.

Il lui rendit les deux passeports, sans commentaire et retourna à son bureau.

Lou Zhao comptait les minutes : dans très peu de temps, elle serait enfin en sécurité, même si sa vie allait être sérieusement bouleversée.

**

Malko débarqua dans le hall d'arrivée, encadré de deux « *case-officers* » athlétiques, dont un parlait japonais. Celui-ci se présenta à un policier en faction et expliqua qu'ils voulaient voir le capitaine Fuguchi, de la police des frontières. L'autre, poliment, leur demanda d'attendre. Dix minutes plus tard, il réapparut, accompagné d'un second policier et annonça.

– Vous êtes autorisés à voir le capitaine Fuguchi, mais une seule personne.

– OK, dit Malko, j'y vais.

A peine était-il entré dans la zone sous douane que les deux « *case-officers* » commencèrent à examiner le hall. Il ne leur fallut pas longtemps pour remarquer le nombre inhabituel de Chinois qui traînaient dans tous les coins. Des clones les uns des autres : costumes sombres, cravates de mauvais goût, le regard aux aguets, dévisageant les gens avec intensité. Le Guoanbu attendait Lou Zhao, très vraisemblablement pour la liquider…

John Mason, le chef du groupe, appela aussitôt Philip Burton et lui détailla la situation. Ils ignoraient combien d'agents chinois se trouvaient sur place et ce qu'ils étaient capables de faire.

Le chef de station de la CIA enregistra le message et se mit à réfléchir… Ce serait trop bête de se faire griller au bout de ce long voyage. Il aurait voulu débriefer Lou Zhao lui-même, mais ce serait prendre un risque : dès qu'elle mettrait les pieds hors de la zone sous douane, elle serait en danger de mort.

Il rappela un de ses officiers et lui demanda d'apporter d'urgence à l'aéroport un gilet pare-balles pour la Chinoise. Ensuite, il appela Malko.

**

Malko venait de serrer la main du capitaine Fuguchi lorsque son portable sonna. C'était le chef de Station de la CIA.

– Malko, dit-il, le Guoanbu est partout dans l'aéroport. C'est très dangereux pour Lou Zhao. Je vous envoie un gilet pare-balles pour elle. En attendant, qu'elle ne bouge pas de la zone où elle se trouve.

– Très bien, approuva Malko, je vais avertir le capitaine Fuguchi.

– Autre chose, précisa l'Américain, en baissant la voix. Débriefez-la *maintenant*. Ainsi, nous ne craindrons plus rien.

Le capitaine japonais attendait, silencieux. Malko se tourna vers lui.

– Pourrions-nous exfiltrer cette personne par une sortie interdite au public ? demanda-t-il.

Le Japonais eut un petit rire contraint, signe de gêne.

– Je crains que cela soit impossible, avoua-t-il. J'ai reçu des ordres de ma hiérarchie : le Japon ne peut pas se rendre complice d'une opération dirigée contre un pays ami. Déjà, en la maintenant ici, nous avons été aussi loin que nous pouvions…

Malko s'en doutait : les Japonais étaient très pointilleux sur leur indépendance et mouraient de peur devant la Chine et la Corée du Nord.

– Bien, enregistra Malko, où se trouve Miss Lou Zhao ?

– Dans le bureau voisin. Voulez-vous l'y rejoindre ?

– Bien sûr.

Il s'effaça pour le laisser passer. Lou Zhao était assise sur une banquette, les traits tirés. Elle sursauta en voyant Malko entrer et posa une question en chinois.

Malko lui répondit en anglais.

– Vous êtes bien le capitaine Lou Zhao ?

– Oui. Qui êtes-vous ?

– Je travaille pour la CIA, expliqua Malko. Je devais vous intercepter, il y a plusieurs jours, à la station de métro Shibuya. Sur l'ordre du chef de Station de Tokyo. Malheureusement, vous n'êtes pas venue. Philip Burton, le chef de Station de

Tokyo vient de me demander de vous débriefer rapidement, car nous ignorons beaucoup de choses sur votre disparition. Que s'est-il passé depuis que vous avez renoncé à prendre l'avion pour Tokyo? Quel rôle joue votre amie Maïko Nabu dans cette histoire?

Lou Zhao le fixait avec méfiance.

– Pouvez-vous me prouver que vous appartenez à la CIA?

Malko avait prévu la question.

– Je ne connais pas toute l'histoire, mais je sais que vous avez été en contact à Shanghai par un de nos agents clandestins, qui tient une boutique d'antiquités et que c'est lui qui a organisé votre exfiltration de Chine. Vous le connaissez sous le nom de « Max ». Personne ne connaît ces faits. Et je ne connais même pas son véritable nom.

Lou Zhao réalisa tout à coup qu'elle non plus ne connaissait pas le nom de son sauveur, juste son pseudo. Rassurée, elle se détendit.

– Je vous crois, dit-elle. Moi-même, je ne sais pas tout. Je me suis rendu compte que le Guoanbu me cherchait au moment de m'envoler pour Tokyo et j'ai fui.

– Vous saviez pourquoi?

Elle esquissa une grimace.

– Je pensais d'abord qu'ils avaient découvert mes liens avec les Américains. Dans notre pays, l'espionnage est un crime puni de mort… Alors, j'ai

fui. En direction de Shanghai où je pensais pouvoir
trouver de l'aide, à cause des dispositions d'urgence
prises depuis longtemps. C'est ce qui s'est passé,
avec quelques complications.

Malko, fasciné, regardait cette frêle jeune femme,
pensant à tout ce que la CIA avait fait pour elle, ce
qui n'était pas le cas pour tous les agents à exfiltrer.
Il écouta son récit de Shanghai. Lou Zhao ne lui
parla pas du meurtre de son cousin.

Lorsqu'elle eut terminé, il se lança enfin dans *la*
question.

– Pourquoi le Guoanbu vous traque-t-il avec
autant de violence ? Ils ont déployé des moyens
extraordinaires contre vous.

Il omit de lui préciser que s'il souhaitait la
débriefer sur place, c'est parce qu'il craignait pour
sa vie…

Lou Zhao le fixa longuement et alluma une cigarette chinoise. La dernière de son paquet.

– Je pense que maintenant, je sais pourquoi,
avoua-t-elle.

CHAPITRE XVI

– J'avais un amant depuis un an environ, commença Lou Zhao. Le général Li Xiao Peng. Je l'avais rencontré à un colloque sur l'évolution de l'armée chinoise. Bien qu'il soit marié et ait plusieurs enfants, il est tombé fou amoureux de moi. Comme il n'y avait personne dans ma vie, j'ai accepté ses avances. Bien entendu, il venait toujours chez moi, évitant l'hôtel à cause de sa notoriété.

– Il vous avait fourni des informations ?

– Non. Mais un soir, la veille de mon départ pour Tokyo, Li est venu dîner à la maison et il a beaucoup bu. C'est là qu'il m'a parlé d'un projet militaire secret : l'opération *Red Dragon*. L'invasion de l'île de Taïwan.

– C'était sérieux ?

– J'en ai eu l'impression. Il m'a dit que beaucoup de Chinois étaient humiliés que la Chine ne soit pas réunifiée.

Malko écoutait, sceptique. Il objecta :

– Pourtant, le président Hu Jin Tao ne semble pas préoccupé par Taïwan. Il mène plutôt une course

économique échevelée pour enrichir les Chinois. Et
ceux-ci paraissent plus préoccupés de faire fortune
que de faire la guerre…

– C'est vrai, reconnut Lou Zhao. Cependant,
mon ami Li Xiao Peng, est un « Prince Rouge »,
c'est-à-dire le fils d'un des anciens dirigeants de la
Chine. Ceux qui l'ont faite.

» Ces hommes n'ont plus officiellement le
pouvoir, ils sont répartis à travers tout le pays, mais
en contact les uns avec les autres. Ils pèsent encore
d'un poids politique certain. De plus, leurs enfants,
comme mon ami Li, trustent tous les postes importants de l'armée.

– Quand devrait avoir lieu cette invasion ?

– Il m'a parlé de l'automne.

Malko était perplexe. Bien sûr, ce que révélait la
jeune femme semblait fou, seulement quelque chose
allait dans le sens de ce qu'elle disait : les efforts
démentiels que le Guoanbu avait faits pour l'empêcher de sortir de Chine. Si c'était un simple
fantasme d'ivrogne, pourquoi se donner tant de
mal ?

Il était encore en train de réfléchir lorsqu'un policier japonais frappa à la porte du bureau, un gilet
pare-balles en Kevlar à la main, le capitaine Fuguchi
sur ses talons.

– Vos amis m'ont fait remettre ceci pour
Mme Lou Zhao, dit ce dernier.

La Chinoise regarda le gilet pare-balles, horrifiée.

– Pourquoi faut-il que je mette cela ?

– Il y a des gens du Guoanbu dans l'aéroport, expliqua Malko. Ils vous attendaient, pour vous tuer ou vous kidnapper. Afin de vous empêcher de parler. Maintenant que vous vous êtes confiée à moi, ils ont moins de raisons pour le faire : c'est trop tard. Mais ils peuvent aussi tenter de nous abattre tous les deux.

» Par pure vengeance.

Comme un automate, Lou Zhao enleva sa veste, enfila son gilet pare-balles par-dessous, puis ils sortirent du bureau. Malko, dans le couloir, sortit le Glock de sa ceinture et fit monter une cartouche dans le canon.

Ils parcoururent les derniers mètres dans un silence de mort, troublé seulement par les annonces au haut-parleur de l'aéroport. Enfin, les portes coulissantes donnant sur le hall d'arrivée s'écartèrent.

Malko photographia d'un coup d'œil le hall, mais il y avait trop de monde pour identifier les agents du Guoanbu. Par contre, à peine eurent-ils parcouru deux mètres que plusieurs hommes les entourèrent. Tous athlétiques, avec une oreillette. Des « *case-officers* » de l'ambassade. L'un d'eux s'approcha de Malko.

– Sir, nous allons vous escorter jusqu'à la voiture. Il y a des « bandits » partout, ici.

Ils firent un véritable mur humain autour du couple, pour les quelques mètres les séparant de la

porte donnant sur le trottoir. Les agents de la CIA le
poussèrent avec Lou Zhao dans une limousine noire.

Le véhicule démarra sur les chapeaux de roues,
et, quelques minutes plus tard, ils rejoignaient
l'autoroute pour Tokyo.

– Où allons-nous ? demanda Lou Zhao.

C'est le chauffeur qui répondit.

– A l'ambassade américaine, miss.

* *

Cheng Dan, responsable du Guoanbu à Tokyo,
écarta l'appareil de son oreille pour ne plus entendre
les imprécations de son chef, à Pékin.

– Tu es un canard pourri ! Un chien ! Le trou du
cul d'un merle ! hurlait l'homme de Pékin. Tu nous
fais perdre l'honneur. Maintenant, cette chienne
impérialiste a parlé à ses amis. Il n'y a plus rien à
faire.

– Nous les suivons, protesta Cheng Dan.

L'homme de Pékin s'étrangla.

– Et alors ! Vous n'allez pas attaquer en territoire
japonais une voiture diplomatique blindée de
l'ambassade américaine ! Je suis sûr que c'est là
qu'ils vont. Rentrez au centre et rappelez-moi.
Désormais, ce n'est plus la peine de se presser.

Malgré tout, Cheng Dan continua à suivre la
limousine où se trouvaient Lou Zhao et Malko
jusque devant l'hôtel Okura.

Ivre de rage en voyant le véhicule s'engouffrer dans l'ambassade américaine.

**
**

Lou Zhao semblait complètement perdue, recroquevillée sur le canapé du bureau de Philip Burton. Celui-ci était pourtant plein d'attention pour la jeune femme. Mais celle-ci n'avait même pas touché à son thé.

– Vous avez fait un parcours formidable ! dit le chef de Station. Vous avez manifesté un courage extraordinaire. Notre ami Malko vient de me transmettre l'information que vous avez recueillie : elle est de première importance. Vous avez bien mérité des Etats-Unis.

Lou Zhao ouvrit la bouche pour la première fois.

– Qu'est-ce que je vais devenir ?

– Bien entendu, vous aurez l'asile politique chez nous, assura l'Américain. Sauf si vous préférez demeurer à Tokyo. Cependant, je ne vous le conseille pas : le Guoanbu y est très puissant et pourrait vouloir se venger.

– Je ne connais personne à Tokyo, à part mon amie Maïko et son ami Théo Stevens, l'homme qui m'a recrutée. Les gens de Rolls-Royce ne sont que des relations d'affaire.

» D'ailleurs, je voudrais voir Maïko.

– Elle s'est fait beaucoup de soucis pour vous, assura l'Américain et a coopéré pleinement avec nous. Cependant, avant tout, je voudrais vous faire débriefer complètement par deux de mes « *case-officers* ». Ensuite, vous pourrez vous reposer. Nous vous avons préparé une chambre à l'ambassade.

– Je n'ai pas envie de rester à l'ambassade, objecta Lou Zhao. Je préfère aller à l'hôtel, ou chez ma copine.

Philip Burton demeura impassible, mais objecta.

– Ce sera difficile de vous protéger chez votre amie. Au pire, vous pourriez vous installer pour quelques jours à l'hôtel Hyatt où se trouve Malko Linge. Là, nous vous assurerons une protection et vous ne serez pas seule.

– D'accord, mais, avant, je veux téléphoner à Maïko.

– Je vous en prie.

Elle composa un premier numéro qui ne répondait pas. Puis un second.

– C'est curieux, dit-elle, cela ne répond ni à la boutique, ni à son portable. Elle allait raccrocher lorsqu'elle entendit une voix d'homme poser une question en japonais.

– Je ne comprends pas ce qu'il dit, dit-elle en lui tendant son portable.

Philip Burton répondit, en japonais aussi. La conversation fut très courte, puis il rendit l'appareil à Lou Zhao avec un coup d'œil catastrophé à Malko.

– C'était un officier de police japonais, dit-il. Il se trouve dans la boutique de Maïko Nabu. C'est lui qui a répondu.

– Pourquoi ?

L'Américain baissa la tête.

– Il est arrivé une chose terrible. Une cliente est entrée dans la boutique et a poignardé Maïko Nabu. Elle a pu s'enfuir et personne ne sait à quoi elle ressemblait.

Malko se dit que le Guoanbu n'avait pas perdu de temps pour se venger.

– Elle est morte ? demanda Lou Zhao, d'une voix blanche.

– Elle vivait encore lorsque l'ambulance l'a emportée. Je vais me renseigner pendant que les « *case-officers* » vont vous débriefer.

Tourné vers Malko, il ajouta :

– Vous devriez retenir une suite avec deux chambres et une *sitting room* pour vous et Miss Zhao. Je vais déployer des gens au Hyatt.

Malko comprit que l'Américain voulait interroger tranquillement Lou Zhao.

– Très bien, tenez-moi au courant pour Maïko, demanda-t-il.

– Je vous donne une voiture pour retourner au Hyatt, fit le chef de Station. Faites attention, vous aussi. Les Chinois sont déchaînés.

* *
*

Cheng Dan était plongé dans le long message envoyé par Pékin, et tout juste décrypté. C'était

d'abord un flot de reproches et de menaces déguisées : en Chine, quand on ne faisait pas son travail
correctement, on était puni.

La seconde partie du message était plus ciblée. Il
était hors de question que cette chienne impérialiste
de Lou Zhao fasse perdre la face au puissant
Guoanbu. Ce dernier étudiait une riposte mais
n'avait encore rien trouvé : Lou Zhao était sortie de
Chine, illégalement, mais ce n'était pas un délit au
Japon. Et elle avait parfaitement le droit de
demander l'asile politique au pays de son choix.

Le chef du Guoanbu de Tokyo regarda pensive-
ment le message et le relut deux fois. En dépit de
son poste éminent, il n'était pas à l'abri d'une puni-
tion sévère.

Il était obligé de faire quelque chose.

*
* *

Malko venait de raccrocher le téléphone avec le
Tokyo General Hospital où avait été transportée
Maïko Nabu, lorsque la porte de la suite s'ouvrit sur
un « *case officer* » américain escortant Lou Zhao.
La jeune femme était toute pâle, traînant toujours sa
petite valise à roulettes.

– Vous avez des nouvelles ? demanda-t-elle.

Malko l'installa dans un des profonds fauteuils
de la sitting room et lui offrit un jus de fruit, qu'elle
but avidement.

– Oui, dit-il, Maïko a subi plusieurs interventions. Son pronostic vital est engagé, mais il y a une chance sur deux qu'elle survive. Elle a un poumon perforé et a perdu beaucoup de sang.

– Je pourrais la voir ?

– Pas maintenant. Elle est en réanimation.

La Chinoise laissa échapper un profond soupir.

– C'est terrible ! Elle n'avait rien fait.

– Je sais, reconnut Malko.

Il ne pouvait pas lui expliquer l'enchaînement qui avait mené la Japonaise à se faire assassiner par le Guoanbu. A cause de sa liaison avec Théo Stevens que Lou Zhao ignorait. Il mentait partiellement à Lou Zhao. L'état de sa copine était critique et les médecins ne lui donnaient qu'une chance sur dix de survivre.

– Je suis fatiguée, soupira la Chinoise. Je crois que je vais aller dormir.

Elle disparut dans sa chambre et Malko ouvrit la porte donnant sur le couloir. Deux « *case-officers* » veillaient, juste en face de l'ascenseur. L'un d'eux s'approcha de lui.

– Soyez tranquille, sir. Nous avons d'autres collègues dans le lobby et même en face de l'hôtel.

Cela ne rendrait pas la vie à Maïko Nabu.

Il était en train de se verser une vodka lorsque son portable sonna : Philip Burton.

– Je viens vous voir, annonça l'Américain.

***

— L'Etat-Major de la D.R.[1] est sens dessus
dessous, annonça le chef de Station de la CIA. Ils
considèrent l'information rapportée par Lou Zhao
comme de première importance. Méritant la
mention « cosmic ». L'invasion de Taïwan est un
vieux cauchemar de l'Administration.

» C'était un peu passé de mode ces temps-ci, à
cause de la politique de Hu Jin Tao, mais cette
information fait resurgir le cauchemar.

— Ce n'est pas un peu léger ?

— Ils disent que non. Li Xiao Peng est le fils du
Premier ministre Li Peng, qui avait toujours rêvé de
réunir la Chine. Il est maintenant très âgé, mais a
peut-être toujours le même rêve. Quant à Li Xiao
Peng, il est considéré par nos analystes comme un
« faucon ».

» Donc, tout cela colle.

» Je peux vous dire que cela phosphore à
Langley. Le président, qui se trouve en ce moment à
Brasilia pour un voyage de quatre jours, a été
prévenu et prend l'affaire très au sérieux. Il exige
que l'Agence tire cette affaire au clair. La D.R.
réclame votre témoignage, ainsi que celui de Lou
Zhao, le plus vite possible.

— Pourquoi moi ?

1. Direction du Renseignement.

– Vous avez été mêlé de près à l'affaire et c'est vous qui avez recueilli en premier son témoignage. Ils vont vous « griller » pour voir si tout colle. Il s'agit d'une affaire extrêmement grave : potentiellement, une guerre entre la Chine et notre pays. Vous savez que nous ne pouvons pas abandonner Taïwan. Où est Lou Zhao ?

– Elle dort, dans la chambre voisine. Pour le moment, il faut la laisser récupérer.

– OK, faites-en autant. Votre blessure ne vous fait pas souffrir ?

– Par moments, mais c'est supportable.

– OK. *Take care*. On veille sur vous.

Le responsable du Guoanbu à Shanghai étudiait avec soin une note de la police locale. Des voisins avaient signalé une odeur pestilentielle s'échappant d'un petit logement situé dans un *Hu-Tong*. Des policiers avaient enfoncé la porte et découvert le cadavre d'un homme tué avec un objet contondant, qui se trouvait encore sur place. Ils avaient relevé des empreintes et se posaient beaucoup de questions : cet homme vivait seul et était très pauvre. Qui pouvait l'avoir tué ?

Interrogés, des voisins avaient signalé la présence d'une femme qui avait habité chez lui pendant quelques jours. Un signalement qui pouvait correspondre à Lou Zhao. Et qui expliquerait comment elle avait pu séjourner à Shanghai plusieurs jours sans être repérée.

Il n'y avait plus qu'à faire suivre le document à Pékin. Même si cela n'avait plus beaucoup d'importance : Lou Zhao avait quitté définitivement la Chine.

*
**

Malko avait dormi onze heures, réveillé vers quatre heures par un « petit » tremblement de terre : tout bougeait. Il avait appelé la réception où une Japonaise lui avait précisé calmement qu'il s'agissait d'une secousse sismique de force 5.2. Pas de quoi fouetter un chat. Les Japonais étaient accoutumés aux tremblements de terre, il y en avait des milliers par an. A Kobé, en 1991, il y avait eu quand même 70.000 morts…

Après avoir pris son petit déjeuner et téléphoné au château de Liezen où une Alexandra d'excellente humeur lui affirma que tout se passait bien, sans lui demander la date de son retour, ce qui n'était pas bon signe, il passa dans la sitting-room. Personne.

Il appela la chambre voisine : pas de réponse. Inquiet, il se décida à entr'ouvrir la porte. Dans la pénombre, il aperçut Lou Zhao qui dormait encore, allongée sur le côté, une très belle chute de reins découverte par les draps. Il referma.

Pour l'instant, il n'avait plus rien à faire jusqu'à son départ pour Washington avec Lou Zhao. Il appela l'hôpital : état stationnaire pour Maïko Nabu. C'est-à-dire, critique.

Ce n'est que deux heures plus tard que Lou Zhao fit son apparition. Changée. Arborant une tenue plutôt sexy, avec des bas noirs. Malko ne put s'empêcher de glisser son regard vers la croupe cambrée qu'il avait aperçue un peu plus tôt. Finalement, quand Lou Zhao n'était pas épuisée, elle avait beaucoup de charme.

– Vous avez des nouvelles de Maïko ? demanda-t-elle.

– Oui. Etat stationnaire.

– Je veux aller la voir.

– Elle n'est pas consciente.

– Cela ne fait rien, je veux la voir, s'obstina-t-elle. C'est à cause de moi qu'elle a été attaquée.

– Cela demande une certaine organisation, objecta Malko. Nous sommes tous les deux des cibles pour le Guoanbu. Je vais demander à Philip Burton.

Ce qu'il s'empressa de faire.

Dire que le chef de Station était enthousiaste eût été un mensonge grossier.

– Essayez de la dissuader, conseilla-t-il à Malko. Je vous ai bloqué des places en première sur un vol Tokyo-New York, avec une continuation sur Washington. Pour demain, début d'après-midi, d'ici là, j'aimerais bien que vous ne bougiez pas.

– Moi, je n'ai pas envie de bouger, objecta Malko. Je vais tenter de convaincre Lou Zhao.

**

Cheng Dan rongeait son frein. Il savait bien que, sauf une action d'éclat, son sort était scellé. Au mieux, la direction du Guoanbu le rappellerait à Tokyo pour l'expédier dans un poste obscur au fin fond de la Mongolie intérieure, et, au pire, dans un des innombrables camps du *Lao-Gai*.

On frappa à sa porte. Un de ses adjoints. Li Siou.

– J'ai été à l'hôtel Hyatt, annonça-t-il. Les Impérialistes sont partout dans le lobby. D'après mes informations, ceux que nous cherchons sont au 24ème étage, dans une suite sévèrement gardée. Ce serait de la folie de s'y attaquer. Je pense qu'ils ne vont pas s'attarder à Tokyo.

Cheng Dan frappa du poing sur la table.

– S'ils partent, nous perdons la face !

Son adjoint congédié, il se remit à réfléchir à une solution.

C'est en avalant un bol de riz avec du poisson qu'il eut une idée. Il appela aussitôt Li Siou, son adjoint.

– Je veux savoir à quel hôpital et dans quelle chambre se trouve cette chienne de Maïko Nabu, ordonna-t-il. Le plus vite possible.

L'homme s'éclipsa. Cheng Dan se sentait un peu soulagé : si la chance était de son côté, il échapperait au *Lao-Gai*.

*
* *

– Je veux la voir ! répéta pour la vingtième fois Lou Zhao. Je ne quitterai pas Tokyo sans l'avoir fait. C'est un devoir sacré.

Philip Burton s'essuya le front moralement. La Chinoise était dure comme de l'acier, mais il ne se voyait pas l'embarquant contre son gré dans un avion pour les Etats-Unis.

– Bon, concéda-t-il, je vais réfléchir.

Il n'osa pas s'avouer que, dans son for intérieur, il priait pour que Maïko Nabu ne survive pas : ce qui réglerait le problème. Il n'était pas parti depuis cinq minutes, que le téléphone sonna dans la *sitting room*. Malko décrocha et entendit une voix japonaise.

– Parlez anglais, demanda-t-il. Qui êtes-vous ?

– Le docteur Fugi, du Tokyo General Hospital. C'est moi qui suis en charge de Miss Maïko Nabu.

– Que se passe-t-il ?

Le médecin baissa la voix.

– Nous craignons pour son pronostic vital. Nous n'arrivons pas à maintenir son pouls. Je crains que…

Lou Zhao s'était approchée, méfiante.

– Que se passe-t-il ?

Malko n'osa pas mentir.

– Maïko va très mal.

– Je veux aller la voir ! hurla la Chinoise. J'irai toute seule.

Il dut la retenir pour qu'elle ne quitte pas immédiatement la suite.

– OK, dit Malko, j'appelle Philip Burton.

Cette fois, l'Américain, encore dans sa voiture, n'hésita pas.

– On ne va pas discuter. Je vous envoie deux voitures et des hommes. Essayez de ne pas rester trop longtemps là-bas.

* * *

Cheng Dan installé dans un salon de *Pachinko*, juste en face de l'hôpital, regardait ses gens se déployer. Il y en avait partout. Cette fois, il avait mis le paquet ! Certains étaient déguisés en médecins, d'autres en malades. L'un d'eux dans un fauteuil roulant. Deux femmes participaient à l'opération. Des tueuses de la 5ème division.

Dans cinq minutes, son dispositif serait prêt. Il n'avait plus qu'à attendre les Impérialistes qui allaient venir se jeter dans son piège. Lui sauverait la face du Guoanbu et sa propre peau.

CHAPITRE XVII

La première voiture s'arrêta en face du Tokyo General Hospital, crachant quatre malabars aux cheveux rasés. Des « marines » réquisitionnés pour la circonstance. Ils se déployèrent autour de l'entrée, sur le trottoir, surveillant les alentours. Tous avaient sous leur manteau un pistolet-mitrailleur.

Une limousine s'arrêta à son tour. Il en sortit d'abord un *case-officer*, ensuite Philip Burton, enfin Lou Zhao et Malko.

Le *case-officer* pénétra dans le hall et l'examina avant de ressortir.

La troisième voiture arriva alors, déversant quatre *case-officers* armés jusqu'aux dents eux aussi.

– *All clear* [1] annonça-t-il.

Ils encadrèrent le petit groupe formé de Philip Burton, Lou Zhao et Malko. Ceux-ci se dirigèrent vers les admissions et se firent connaître. Quelques minutes plus tard, un médecin de l'hôpital apparut. Parlant parfaitement anglais.

1. Tout va bien.

– Je vais vous conduire à la chambre de
Maïko-san déclara-t-il. C'est au sixième. Hélas,
vous ne pourrez pas lui parler. Nous l'avons plongée
dans un coma artificiel.

– Son état s'est aggravé ? demanda Malko.

Le médecin japonais hocha la tête.

– Non, pas vraiment. Elle est dans un état très
grave. Stationnaire pour le moment.

Malko sentit son pouls s'envoler.

– Stationnaire ? Mais un médecin de l'hôpital
m'a appelé tout à l'heure pour me dire que son état
s'était aggravé et qu'elle risquait de mourir
aujourd'hui.

Le médecin secoua la tête.

– C'est une mauvaise plaisanterie. Je suis le seul
médecin à la suivre et je ne vous ai pas appelé.

Philip Burton et Malko se regardèrent.

– C'est eux, fit l'Américain.

Malko regarda le hall autour d'eux. Il y avait la
foule habituelle des hôpitaux : des malades traînant
leur attirail, un peu hébétés, des visiteurs…

– Il faut repartir tout de suite, lança Philip
Burton. Si le Guoanbu a voulu nous attirer ici, c'est
pour nous tendre un piège.

Malko s'approcha de Lou Zhao.

– Nous sommes tombés dans un piège, annonça-
t-il. C'est le Guoanbu qui m'a téléphoné. L'état de
votre amie ne s'est pas aggravé. Il faut repartir, nous
sommes en danger.

Lou Zhao lui jeta un regard glacial.

– Je veux voir Maïko. Je ne repartirai pas maintenant.

Elle s'adressa au médecin en japonais et ce dernier lui désigna un ascenseur. Ils se mirent en route tous les deux. Malko les rattrapa.

– Où allez-vous ?

– Je vous l'ai dit.

Un ascenseur arrivait, presque plein, du premier sous-sol. Lou Zhao et le médecin s'y engouffrèrent, suivis par Malko qui bloqua la porte avec son pied.

– On ne peut pas vous laisser y aller seule, avertit-il. Dites aux gens de dégager de cette cabine pour laisser notre escorte prendre la place.

Stupéfait, le médecin finit par obtempérer. Dociles, les occupants de l'ascenseur descendirent, laissant leur place aux quatre *case-officers*.

– Qui sont ces gens ? demanda le médecin. Nous ne pouvons pénétrer qu'à deux personnes à la fois dans la chambre.

– Maïko-san est en danger de mort. Les Services secrets chinois veulent l'assassiner, coupa Philip Burton. Je suis le chef de Station de la CIA à Tokyo, chargé de veiller sur sa sécurité. Il y a des policiers japonais dans cet hôpital ?

Le médecin le fixa, choqué.

– Non, bien sûr.

– Appelez le commissariat le plus proche et demandez-leur d'en envoyer pour assurer la sécurité du hall.

L'ascenseur s'ébranla, direction le sixième.
Malko aurait voulu être plus vieux d'une heure.

** *

Cheng Dan, en blouse blanche, avait assisté du
hall au départ de Lou Zhao pour le sixième. Surpris
par le déploiement de forces américain. Ses
hommes, qui se trouvaient dans le hall, sous divers
déguisements, étaient neutralisés par les « marines »
qui y étaient déployés.

Il restait le « second » échelon.

Isolé derrière un pilier, il appela sur son portable
son second, Hi Sao.

– Ils arrivent, dit-il, c'est à vous de jouer.

Hi Sao disposait de quatre agents du Guoanbu.
Lui était déguisé en infirmier, un autre en invalide
dans un fauteuil roulant, une femme en infirmière et
le quatrième avait revêtu la tenue d'un brancardier.

Il les alerta, posté dans un escalier de secours. La
chambre où se trouvait Maïko était éloignée d'une
trentaine de mètres de l'ascenseur. Aucun garde
devant. D'où il se trouvait, il pouvait surveiller le
couloir. Il vit soudain un groupe débarquer de
l'ascenseur. Les quatre *case-officers* encadraient
Lou Zhao, Malko et Philip Burton.

Son but était de liquider la défectrice *et* Malko
Linge, l'agent de la CIA. Il fallait donc attendre
qu'ils se trouvent dans la chambre.

* * *

Le petit groupe avançait dans un silence tendu. La porte d'une chambre s'ouvrit sur une femme en blouse blanche et aussitôt, les quatre Américains se crispèrent, la main sur leur arme. Médusée, elle se figea.

— Vous la connaissez ? demanda Philip Burton au médecin.

— Oui, c'est une de nos infirmières.

— Demandez-lui si elle n'a rien remarqué de suspect.

Le médecin posa la question, écouta la réponse de l'infirmière et se tourna vers Malko.

— Non, elle a seulement vu un malade paraplégique dans un fauteuil roulant qui s'était perdu. Il cherchait l'étage de l'orthopédie. Elle l'a guidé jusqu'à l'ascenseur.

Ils reprirent leur marche, arrivant devant la porte de la chambre de Maïko Nabu.

Au moment où le médecin l'ouvrait, Malko, qui s'était retourné, aperçut une porte s'ouvrir sur un homme en blouse blanche, qui se dirigea vers eux. Son visage plat évoquait les Japonais du nord. Malko se retourna vers le médecin.

— Demandez à cet homme ce qu'il fait ici.

Le Japonais lança une brève interjection. L'homme en blouse blanche s'arrêta net, mais ne répondit pas. Le médecin glapit plus fort et Malko comprit : l'homme ne comprenait pas le japonais !

Déjà, ce dernier était en train d'écarter sa blouse blanche. Sans hésiter, Malko arracha son Glock de sa ceinture et, le tenant à deux mains, visa l'inconnu.

Un des « case-officers » déplia la serviette pare-balles G.K. qu'il avait à la main et la positionna devant Lou Zhao. L'inconnu en blouse blanche venait de sortir de sous sa blouse un court pistolet-mitrailleur. Les projectiles de Malko le rejetèrent contre le mur et il s'effondra, laissant une longue traînée rouge sur le mur.

Automatiquement, les quatre *case-officers* avaient poussé Lou Zhao dans la chambre de Maïko Nabu. Ebahi, le médecin japonais fixait le corps allongé à terre. Des portes s'ouvraient, des têtes apparaissaient partout. Sans lâcher son arme, Malko jeta au médecin.

– Dites à tous ces gens de rentrer dans leurs chambres ! Qu'ils n'en bougent plus. Il y a danger de mort.

Le médecin se mit à vociférer et, comme les Japonais sont des gens disciplinés, les badauds disparurent un à un. Sauf une infirmière penchée sur l'homme abattu par Malko.

– Ils vont appeler la police ! avertit le médecin, dépassé.

– C'est la première chose à faire ! renchérit Malko.

Des cris jaillirent de la chambre de Maïko Nabu et les deux hommes se précipitèrent : l'infirmière chargée de surveiller le système de survie de Maïko Nabu luttait avec des *case-officers* qui voulaient la fouiller. Ne parlant que japonais, elle ne comprenait rien à ce qui se passait.

Sur l'ordre de Malko, le médecin la calma et elle s'éclipsa de la chambre.

Lou Zhao contemplait Maïko Nabu, des larmes dans les yeux. La Japonaise avait des tuyaux partout, respirait régulièrement, les yeux fermés. Une batterie d'appareils de mesure permettait de mesurer en permanence son pouls, sa pression sanguine, l'activité de son cerveau. Une autre machine l'aidait à respirer. Lou Zhao posa sa main sur celle de la Japonaise et poussa un cri.

– Elle est toute froide !

– Elle respire normalement, assura le médecin, mais son pouls est très bas. Elle est dans une sorte d'hibernation. Il faut la laisser maintenant, elle ne reprendra pas conscience immédiatement.

Lou Zhao se pencha sur la main froide et la porta à ses lèvres. Les sanglots faisaient trembler tout son corps.

Philip Burton, tendu comme une corde à violon, ne cessait de regarder vers la porte. Pourtant, deux *case-officers* veillaient dans le couloir.

– Allons-y, demanda-t-il nerveusement.

Il fallut tirer Lou Zhao par le bras pour l'arracher à la contemplation de son amie.

Enfin, tout le groupe se dirigea vers l'ascenseur. Sauf deux *case-officers* demeurés dans la chambre de Maïko Nabu pour la protéger, en attendant l'arrivée de la police japonaise. Il ne restait plus que dix mètres avant l'ascenseur. Malko accéléra et l'appela.

C'est à ce moment que surgit, à l'autre bout du couloir, un homme assez âgé, dans un fauteuil roulant.

Il se dirigeait vers le groupe. L'ascenseur arrivait. Soudain, Malko se souvint de ce qu'avait dit l'infirmière japonaise : l'homme dans un fauteuil roulant « perdu » à l'étage.

L'infirme n'était plus qu'à quelques mètres d'eux. Malko fendit le groupe et, pistolet au poing, se dirigea vers le fauteuil roulant.

Son occupant réagit instantanément. Ecartant la couverture étalée sur ses jambes, il découvrit un court fusil d'assaut, à la crosse pliante. Sautant de son fauteuil, il lâcha une rafale et déguerpit dans le couloir, en direction de la chambre de Maïko Nabu !

Malko ouvrit aussitôt le feu, mais l'homme ne s'arrêta pas. Pourtant, il était sûr de l'avoir touché… Un des *case-officers* se mit à tirer à son tour, imité par Philip Burton. Enfin, le faux infirme s'effondra de tout son long, lâchant involontairement une longue rafale de son arme dans le couloir, dont les projectiles firent sauter le plâtre blanc des murs.

Malko se retourna. Deux des *case-officers* gisaient sur le sol. L'un, visiblement mort, avec une balle dans la tête. Sans attendre, Philip Burton poussa Lou Zhao dans l'ascenseur, accompagné de Malko et d'un des *case-officers* survivants.

– My God ! lança-t-il. Ils veulent vraiment la tuer. Je reste ici pour accueillir la police japonaise. Malko, filez à l'hôtel.

Lou Zhao tremblait comme une feuille. Malko se sentit obligé de la rassurer.

– Vous avez vu votre amie mais cela a failli vous coûter la vie, remarqua-t-il. Maintenant, il faut être raisonnable et quitter Tokyo le plus vite possible.

Sans répondre, elle opina affirmativement de la tête : choquée.

Lorsqu'ils arrivèrent au rez-de-chaussée, les « marines » du hall s'étaient déjà positionnés devant l'ascenseur. C'est un véritable « hérisson » qui prit le chemin de la sortie.

Au moment où ils l'atteignaient, une meute de policiers japonais, cagoulés, en noir, un gilet pare-balles G.K par dessus leurs tenues se rua dans le hall.

Malko ne respira qu'une fois dans la Cadillac blindée, celle de l'ambassadeur.

– Il faut que vous partiez demain, dit-il à Lou Zhao. Sinon, mon cœur ne tiendra pas.

*
* *

Cheng Dan osait tout juste retourner à son bureau. Deux morts et un échec total... Sans parler des conséquences auprès du gouvernement japonais. Les morts, même s'ils n'avaient aucun papier, seraient identifiés comme des membres du Guoanbu.

Attaquer un hôpital japonais, en plein Tokyo, était un acte extrêmement grave qui entraînerait des conséquences négatives. Comme un automate, il regagna sa voiture et dit à son chauffeur de regagner l'Agence Chine Nouvelle.

Il était à mi-chemin lorsqu'il prit son arme dans son holster, un Makarov automatique 9 mm, plaça l'extrémité du canon sous son menton et appuya sur la détente.

Surpris, le chauffeur fit un écart, emboutissant un véhicule qui venait en face. Il se retourna et vit le sang sur le pavillon. La tête rejetée en arrière, le colonel Cheng Dan ne respirait plus.

*
* *

De retour de l'hôpital, Lou Zhao s'était effondrée dans sa chambre. Malko, en liaison avec Philip Burton, préparait leur départ du lendemain.

– J'attends les billets, apprit le chef de Station de la CIA. Nous partons sur American Airlines à 2 h 25. Jusque-là, vous ne bougez pas.

Malko n'avait d'ailleurs pas envie de bouger. Ce séjour à Tokyo se terminait en cauchemar. Il se versa une vodka et essaya de se laver le cerveau en regardant la télévision. Deux heures plus tard, on frappa à la porte. Le *case-officer* de garde l'avertit :

– Sir, ce sont des policiers japonais. Deux sont en uniforme.

– Vérifiez leur badge.

Avec le Guoanbu, il fallait s'attendre à tout. Il finit par ouvrir la porte et se trouva en face de quatre Japonais, deux en uniforme, deux en civil. Un des civils lui exhiba une carte de police et annonça :

– Je suis le superintendant de la police Kamishibai. Je suis à la recherche d'une citoyenne chinoise, Lou Zhao. Est-elle ici ?

– Bien sûr, dit Malko. Elle dort dans la chambre voisine. Elle vient d'échapper à une tentative d'assassinat de la part des Services secrets chinois. Pourquoi ?

Cela ne sembla pas impressionner le superintendant japonais. Il désigna son compagnon, en civil.

– Monsieur Yamamoto est un haut fonctionnaire du ministère de la Justice. Il ne parle que japonais. Aussi, je vais vous apprendre la raison de sa présence. Il vient de recevoir des autorités de Pékin une demande d'extradition des autorités chinoises concernant Lou Zhao san.

Malko faillit éclater de rire.

– Décidément, ils feront tout pour la récupérer ! C'est un crime, au Japon, de faire défection ?

Le haut fonctionnaire japonais ne broncha pas et tendit à Malko un document rédigé en chinois.

– Il ne s'agit pas de défection, précisa le superintendant Kamishibai, mais d'un crime crapuleux :
Lou Zhao a commis un crime à Shanghai sur la
personne de son cousin Chuen Ki. La demande
d'extradition est très précise : on a trouvé les
empreintes digitales de cette personne sur l'arme du
crime et des témoins l'ont reconnue, elle a vécu
plusieurs jours chez son cousin.

Malko avait l'impression de recevoir une douche
glaciale. Il regarda le document en chinois, incom-
préhensible pour lui.

– Qu'est-ce que cela signifie, concrètement ?
demanda-t-il.

– Nous avons un accord d'extradition avec la
Chine pour les crimes non politiques, expliqua le
superintendant. Ce qui correspond à ce cas. Nous
devons donc exécuter cette demande d'extradition
et nous assurer de la personne de Lou Zhao. Bien
entendu, si elle prend un avocat, elle peut faire appel
de cette décision.

– C'est ce qu'elle va faire ! assura Malko. Elle
doit s'envoler demain pour les Etats-Unis, en tant
que réfugiée politique.

Pas un trait ne bougea sur la face plate du superintendant Kamishibai.

– Sir, il est *absolument* impossible qu'elle quitte
le territoire japonais, asséna le Japonais. D'ailleurs,
je suis venu ici m'assurer de sa personne pour la
placer en détention.

CHAPITRE XVIII

— « Moi ? je n'y crois pas. C'est du bluff ! lança d'un ton assuré Roger Farewell, le chef de la division " Asie " de l'Etat-Major du Renseignement de la CIA. Hu Jin Tao ne pense qu'à une chose : faire du fric et de la Chine la première puissance économique mondiale. Il se moque de Taïwan. »

Roger Farewell, après avoir lancé sa tirade, se tut. Leon Panetta, le Directeur Général de la CIA, se tourna alors vers le chef des analystes pour l'Extrême-Orient, un universitaire extrêmement respecté dont les avis étaient très souvent frappés au coin du bon sens.

— Et vous, Mike, qu'en pensez-vous ?

Mike Collins, qui ressemblait à une taupe avec ses clignements d'yeux intermittents, ne répondit pas immédiatement, intimidé.

Cette réunion impromptue et secrète se tenait dans la salle de conférence toute en longueur du septième étage de l'O.H.B. [1], tout à côté du bureau du Directeur général. Ses baies vitrées donnaient sur

1. Old Headquarter Building.

le complexe de la Central Intelligence Agency, situé au bord du Potomac, au sud de Washington, dont les cent hectares étaient entourés de grillages fatigués et rouillés.

L'analyste parcourut la table du regard, intimidé. Au milieu du D.G. Leon Panetta, de Roger Farewell, du général Richard Ashton envoyé par le Pentagone, de Ted Boteler, patron de la Division des Opérations, il était le seul « civil ».

Prudemment, il avança :

— Nous connaissons peu de choses du système de décision du Parti Communiste chinois. Il y a, à la fois, une certaine raideur, les dirigeants chinois étant choisis à l'avance, par exemple on sait jusqu'en 2022 qui va gouverner officiellement le pays, et une opacité totale. Il existe des tas de courants souterrains et transversaux qui peuvent modifier les choses. Bien sûr, le Parti gouverne tout et l'armée lui est soumise, mais il y a des exceptions. L'armée est le chouchou du régime mais ne se soumet pas *toujours*.

» Aujourd'hui…

Leon Panetta le coupa.

— Mike, fit-il assez sèchement, j'ai une demande expresse du président. Il veut une évaluation de cette information, de façon à pouvoir justifier une décision *politique* ultérieure. C'est moi qui en suis responsable. Alors, oui ou non, pensez-vous qu'il y ait une chance pour que l'armée chinoise essaie d'envahir Taïwan, dans un avenir proche – l'automne prochain – ou est-ce que vous considérez cette possibilité comme totalement irréaliste ?

» J'ai besoin d'une réponse claire.

Mike Collins commençait à transpirer. Il n'était pas habitué au débat oral. Il tourna sept fois sa langue dans sa bouche et finit par laisser tomber :

– *It's a distinct possibility.* [1]

– Pourquoi ? jappa Leon Panetta.

L'analyste se lança à l'eau.

– Il y a en Chine des gens qui ne veulent pas mourir sans avoir vu Taïwan revenir dans le giron de la Chine communiste. Certains des anciens dirigeants historiques. Comme Li Peng ou un des secrétaires de Mao, qui est très âgé. Certes, ils sont dispersés aux quatre coins de la Chine, ils n'ont plus officiellement de poids politique, mais encore beaucoup d'influence. Même auprès des treize membres du Bureau Politique du Parti.

– Je croyais que l'armée obéissait au doigt et à l'œil ?

– L'armée n'est pas homogène, répliqua l'analyste. A sa tête se trouvent de nombreux « Princes Rouges », c'est-à-dire les descendants de ces dirigeants historiques. Ils ont trusté les postes importants de l'armée et peuvent influencer le cours des évènements.

– En dehors du Parti ?

1. Ce n'est pas impossible.

– Non, ce serait une révolution. Mais ils peuvent peser sur le Parti pour le faire changer d'avis. Or, celui-ci ne veut pas se trouver en porte-à-faux avec l'armée qui est la seconde ossature du Régime, en dehors de lui.

– Hu Jin Tao n'est pas assez fort pour contrer une telle demande ?

L'analyste secoua la tête.

– Je ne pense pas. Hu Jin Tao est un apparatchik, qui, au prix de contorsions et de servilité, est parvenu à être président. Je doute qu'il se lance dans un combat frontal avec les militaires. Dans le passé, cela s'est souvent terminé dans le sang. N'oubliez pas que la Chine est faite de virages brutaux. Qui aurait pu penser à l'époque de la Révolution Culturelle, qui voulait détruire les « valeurs bourgeoises », qu'un jour, le slogan gouvernemental serait « Enrichissez-vous »…

» Les Chinois ne pensent pas et ne raisonnent pas comme nous et nous ignorons les véritables rapports de force entre les différentes composantes du pouvoir.

» Donc, une invasion programmée de Taïwan n'est pas à écarter totalement, même si cela est peu probable.

Il se tut, en nage, sachant que ses paroles seraient rapportées au Président des Etats-Unis. Il détestait se trouver en première ligne.

Leon Panetta se tourna vers l'homme assis à sa droite.

– Al, est-ce que vous partagez cette analyse, vous qui êtes sur place depuis deux ans ?

Al Snyder, le chef de Station de la CIA à Pékin, convoqué d'urgence, s'attendait à la question.

– Je souscris aux propos de Mike, dit-il. Le système de décision chinois est totalement opaque. Il n'y a pas de défecteurs comme en Russie, qui permettaient de jeter une lueur sur ce qui se passait. Nous n'avons pas de *véritables* contacts avec nos homologues du Guoanbu, sauf pour les questions de terrorisme où ils sont très demandeurs.

» Nous n'avons jamais réussi à infiltrer un agent dans le Premier Cercle. Le système est entièrement verrouillé. Donc, il est parfaitement possible qu'il y ait une lutte secrète entre partisans de Hu Jin Tao et ses « faucons » qui possèdent réellement un pouvoir politique officieux. Et puis, il ne faut pas négliger la possibilité de la corruption : l'armée est très riche, comblée par le Régime, impliquée dans beaucoup d'activités lucratives. Cela peut faire changer d'avis un apparatchik. N'oubliez pas que le système veut que personne n'ait une opinion *personnelle*. C'est le Parti qui donne la ligne, dans tous les domaines, mais on ignore sur quels critères.

» Ils se surveillent tous, par crainte d'être mal « catalogués ». Le problème de Taïwan n'est pas résolu, c'est une épine dans la Chine d'aujourd'hui et un problème très sensible. Le sentiment nationaliste des Chinois est très fort et l'apparatchik qui n'en tiendrait pas compte court de grands risques.

Leon Panetta hocha la tête.

– Merci, Al.

Sur le bloc qui se trouvait devant lui, il inscrivit.
« Mike 3/10. Al 3/10. »

Ensuite, il sourit au général Richard Ashton, assis
à l'extrémité de la table, en face de lui, fin
connaisseur de l'armée chinoise.

– Général, que pensez-vous de cette affaire sur
le plan militaire ?

L'officier regarda brièvement ses notes et se
lança dans son explication.

– Nous connaissons parfaitement les forces en
présence, admit-il. Taïwan dispose d'avions capables de frapper la Chine et d'une défense anti-
aérienne puissante. Nous leur avons livré
récemment des F.16 qui surclassent les appareils
chinois.

– Et le J.20 chinois ? interrogea Leon Panetta.

Le général eut un sourire teinté d'ironie.

– Pour le moment, le J.20 n'existe qu'à l'état de
prototype. Nos experts doutent qu'il puisse être
opérationnel avant plusieurs années, si on en juge
par les problèmes que nous avons connus avec notre
F.22.

– J'ai eu aussi une note annonçant la mise en
service d'un porte-avions chinois, continua le D.G.

Nouveau sourire du général Richard Ashton.

– Les Chinois prétendent qu'il sera opérationnel
en 2014, mais nous n'y croyons pas. D'abord, un

porte-avion ne se déplace pas tout seul : il lui faut des destroyers, des ravitailleurs et, surtout, un système de transmission très sophistiqué que les Chinois ne possèdent pas encore.

» Mais, je reviens à Taïwan. Ils disposeraient également de l'aide du seul porte-avion que nous avons sur la zone, le « Georges Washington », 80 000 tonnes, basé à Yokosuma, au Japon.

– C'est important, souligna Leon Panetta.

– Certes, mais Taïwan a aussi des faiblesses. D'abord, ils n'ont pas de sous-marin digne de ce nom, à part quelques vieux modèles américains.

» Ils possèdent cinq frégates françaises qui leur ont été vendues « coque nue », c'est-à-dire qu'ils ont dû bricoler des systèmes d'armement, des missiles américains, des canons danois…

– Et l'armée de terre ?

– C'est la grande inconnue. Personne ne sait ce qu'elle vaut vraiment, même si elle est bien équipée.

Leon Panetta prenait des notes fiévreusement. Il releva la tête.

– Bien. Et du côté chinois ?

Le général Richard Ashton eut un sourire contraint.

– Ce que j'en sais pourrait effectivement soutenir votre hypothèse d'une invasion de Taïwan. Les Chinois, au cours des cinq dernières années, ont fourni un très gros effort. D'abord, ils possèdent une force de frappe de missiles considérable : entre 500

et 900 missiles « Dong-Feng » – en fait des
« Scuds » améliorés d'une portée de 500 kilomètres, alors que le détroit de Taïwan ne mesure que
180 kilomètres. Ces missiles sol-sol sont assez
précis.

» Surtout, ils ont développé une force amphibie
redoutable, en construisant 100 bateaux de débarquement de 17 500 tonnes, pouvant transporter
chacun 2 000 hommes. A cela, il faut ajouter des
« Zubr » russes, engins à coussin d'air qui peuvent
transporter chacun 3 chars et 500 hommes ou,
encore, 12 blindés légers.

» En plus, les Chinois « amarinent » leurs
troupes, par des manœuvres avec les Russes. Nous
estimons qu'ils ont basé en face de Taïwan 10 divi-
sions d'infanterie de 10 000 ou 15 000 hommes
chacune, qui pourraient constituer le fer de lance
d'un débarquement.

» Ils ont également 50 navires de débarquement
LSD.

» Tout cela constitue une force puissante de
débarquement.

– Et leur aviation ?

– Ils ont un nombre indéterminé du nouveau
chasseur chinois J.10 qui est l'équivalent du Mirage
français. Plus, beaucoup de Sukhois 27 et 30 MK2.

Leon Panetta notait comme un fou. Il avait à
peine terminé que le général Ashton, avec une sorte
de plaisir sadique, lança sa dernière flèche.

– C'est surtout sur mer que les Chinois sont puissants. Bien sûr, ils possèdent cinq sous-marins SNLE porteurs de 10 missiles JL2 d'une portée de 3 000 à 4 000 kilomètres, mais ils ne seraient pas très utiles pour une attaque de Taïwan. Sauf comme moyen de dissuasion envers le Japon. Ils sont surtout très bien dotés en sous-marins d'attaque. D'abord, une douzaine de sous-marins classiques russes « classe kilo ». Ceux-ci sont très silencieux, plus 8 ou 9 sous-marins de fabrication chinoise Tang.

» Avec une stratégie d'emploi très intelligente. Ils ont disposé ces sous-marins à l'*extérieur* de Taïwan, de façon à empêcher ou à ralentir des secours.

» En effet, immobilisés sur le fond à 200 mètres de profondeur, ces sous-marins échappent aux sonars et possèdent une grande capacité de nuisance. Ils tirent des torpilles à moteur fusée qui vont à 200 nœuds… Et aussi des engins russes Moskit, des missiles à changement de milieu [1] qui pourraient frapper des avions…

» Tout cela pourrait faire réfléchir sérieusement le commandant d'un porte-avion.

» Ils ont également 20 destroyers achetés en Russie, très rapides, qui pourraient s'opposer facilement aux frégates de Taïwan.

---

1. Missiles lancés sous l'eau qui continuent leur trajectoire à l'air libre, comme les Tomahawk.

Tous les assistants semblaient tétanisés par cette description apocalyptique de la puissance chinoise.

– C'est tout ? demanda Leon Panetta.

– Oui. J'ajoute que les Japonais ne possèdent pas encore de sous-marin. Ils en auront dans deux ou trois ans. Ce qui pourrait justifier une action chinoise, *avant* cette période.

Un lourd silence suivit l'exposé du général. Leon Panetta insista.

– Donc, à vos yeux, l'action militaire contre Taïwan est crédible ?

– Sur le plan militaire, certainement, approuva le général Ashton.

**

Leon Panetta écrivit sur son bloc : général Ashton 6/10, et posa une dernière question.

– A travers les écoutes techniques et les satellites, il vous est impossible de prévoir un tel débarquement ?

Le général hocha la tête.

– Les troupes chinoises étant *déjà* massées en face de Taïwan, il est impossible de détecter des mouvements préparatoires, sauf à travers les communications radio.

» En plus, l'étroitesse du détroit de Taïwan permet d'initier un débarquement au début de la nuit pour arriver à l'aube sur l'île.

– Merci de toutes ces précisions, lâcha Leon Panetta.

Le général Ashton releva la tête.

– Il y a un dernier élément qui n'est pas stricte-ment militaire : les Chinois ont averti qu'ils allaient procéder à des manœuvres dans cette zone, cet automne.

Après cette flèche du Parthe, il se tut pour de bon.

Le temps pour Leon Panetta de reprendre son souffle pour demander à Ted Boteler, le patron de la Division des Opérations :

– C'est vous qui avez exfiltré de Chine la source « Raising Sun ». Que diriez-vous de son exfiltra-tion ?

– Qu'elle a été très difficile. Le Guoanbu a vrai-ment utilisé toutes ses forces pour l'empêcher de quitter le territoire. Elle n'y est parvenue qu'à l'aide d'un de nos NOC particulièrement bien placé.

– Donc, ce n'est pas une mise en scène ?

– Très peu probable. Nous avons intercepté des messages radio qui ne laissent aucun doute. Et notre agent a dû prendre des risques énormes pour l'exfil-trer.

Leon Panetta se tourna alors vers le Directeur du Renseignement.

– Que diriez-vous de cette source, Lou Zhao ? Est-elle sérieuse ?

– Elle a été recrutée il y a deux ans par un de nos N.O.C.S au Japon, Théo Stevens. Jusque-là, elle n'avait pas ramené d'informations sensationnelles, mais c'était toujours sérieux et recoupé. Nous la classons comme « AA+ ».

– A-t-elle pu recueillir une information aussi capitale sans appartenir au Premier Cercle chinois ?

– Oui, c'est possible. Grâce à son amant, le général Li Xiao Peng.

Leon Panetta regarda ses notes et soupira.

– Nous n'avons quand même toujours pas de certitude. Je crois que j'enverrai mon rapport de synthèse à la Maison Blanche après le debriefing complet du capitaine Lou Zhao. Elle nous apportera un éclairage en temps réel qui nous manque. Quand sera-t-elle à Washington ?

– Après-demain, à cause du décalage horaire, répondit le directeur du Renseignement.

– Eh bien, revoyons-nous après ce debriefing, conclut le Directeur Général de la CIA.

Sa responsabilité vis-à-vis de la Maison Blanche était énorme. L'invasion de Taïwan étant un des cauchemars récurrents des différentes Administrations américaines.

CHAPITRE XIX

Le face à face tendu entre Philip Burton, le chef de Station de la CIA à Tokyo, et Kamakura Sadame, le patron du *Naicho*, le principal Service de Renseignement japonais, se prolongeait.

C'était la première fois que les deux hommes s'affrontaient sur un sujet grave. Les yeux dans le vague, le haut fonctionnaire japonais était comme une statue. L'Américain revint à la charge.

– Kamakura-san, il faut absolument trouver un moyen d'éviter l'extradition de Lou Zhao en Chine. C'est une affaire d'Etat. Je suis assiégé de messages de Washington qui ne comprend pas...

Kamakura Sadame hocha la tête, compréhensif.

– Bien sûr ! Je vous assure que j'ai fait tout ce que je pouvais. J'ai obtenu un rendez-vous avec le directeur de cabinet du Ministère de la Justice pour lui exposer le cas et tenter de trouver une solution. Hélas, il est bloqué par le Ministère des Affaires Etrangères qui ne veut pas d'un *casus belli* avec la Chine.

– A ce point ?

– Oui, le dossier que nous ont présenté les Chinois est impeccable : il y a toutes les preuves de la culpabilité de Lou Zhao. Ils nous ont envoyé un juriste très pointu pour détailler le cas.

» En plus, Lou Zhao-San a avoué son crime…

L'Américain sursauta.

– Quoi ?

– Oui, interrogée par le superintendant Kanuka, elle a reconnu avoir tué son cousin dans un moment de panique, alors qu'il tentait de la violer. Des aveux écrits et signés.

Philip Burton, accablé, secoua la tête. Il sentait bien que son homologue ne lui racontait pas d'histoire.

– Qu'est-ce qui va se passer ? interrogea-t-il.

– Le processus va suivre son cours. Si Lou Zhao-san ne fait pas appel de son mandat, cela peut aller très vite. Sinon, elle restera encore quelques mois en prison, mais l'issue de l'affaire ne fait aucun doute : les Chinois sont dans leur droit. D'ailleurs, ce juriste chinois a précisé qu'elle aurait droit à un procès équitable et que, compte tenu des circonstances, elle ne risquait qu'une peine légère.

Philip Burton s'étrangla.

– Ils ne vous ont pas dit qu'ils ont tout fait pour l'empêcher de sortir de Chine, en la considérant comme une espionne.

Le Japonais esquissa un sourire.

– Vous savez bien que ce genre d'affaire ne remonte jamais à la surface…

L'Américain se leva.

– Bien, je vais transmettre à Washington. Il est possible que notre ambassadeur fasse une intervention…

– Je crains que cela ne change rien, laissa tomber le Japonais. Mais vous avez le temps de vous retourner. La procédure est assez longue. Qui sait…

– On pourrait la faire évader, fit ironiquement l'Américain.

Ce n'était pas la forme d'humour préférée du haut fonctionnaire japonais, qui ne broncha pas, ajoutant seulement.

– J'ai appris qu'un premier secrétaire de l'ambassade de Chine a demandé à rencontrer Lou Zhao-San.

Philip Burton sursauta.

– On a fait droit à sa demande ?

– Nous l'avons transmise à Lou Zhao-San. C'est elle qui décide. Qui sait, ils ont peut-être une solution de rechange.

L'Américain y croyait comme à l'apocalypse… Il se leva avec un soupir et prit congé.

C'était la tuile ultime. Imprévisible. Avec la raideur des Japonais, il ne voyait pas de solution. Il n'y avait plus qu'à annuler les billets d'avion de Lou Zhao et de Malko.

*
* *

– Cela affaiblit considérablement notre position !
reconnut Leon Panetta, le DG de la CIA. Le fait que
cette informatrice retourne en Chine nous empêche
de la débriefer sérieusement, et de la passer au « *lie
detector* ». La Maison Blanche va se montrer très
prudente : les Russes et les Chinois nous ont habitués à des coups de bluff de ce type. Les faux défecteurs, les nouvelles invérifiables…

– Vous pensez à une manip dès le début ?
demanda Ted Boteler.

– Pourquoi pas ? Les Chinois savent que nous
sommes très sensibles sur Taïwan.

Ted Boteler secoua la tête.

– D'après les comptes rendus que je possède, il
n'y a pas de manip. En tous cas, d'après ce qu'elle a
déclaré à Malko Linge. Je souhaite que ce soit le
cas, sinon, notre « poisson en eau profonde » Jeffrey
Fox est cuit ! Sauf si les Chinois sont assez malins
pour lui foutre la paix.

Leon Panetta regarda sa montre :

– Je vais à la Maison Blanche. Je vais essayer de
gagner du temps. Pour ne pas faire de conneries. Il
ne manquait plus que cela.

Ted Boteler était accablé.

– Je connais toute l'histoire de Lou Zhao. Je la
crois.

Leon Panetta lui jeta un regard découragé.

– Dans cette histoire, c'est le Président qui doit avoir des certitudes. Sinon, il ne bougera pas. Et, s'il y a vraiment quelque chose, on dira encore que la CIA ne fait pas son boulot.

***

Debout dans la cellule de Lou Zhao, dans la prison de Ryuchiso réservée aux prévenus, le directeur de la prison attendait la réponse de Lou Zhao.

Celle-ci leva la tête.

– Il est ici ?

– Oui, au parloir. Il vous attend, mais vous n'êtes pas obligée d'y aller.

La Chinoise tournait entre ses doigts la carte de visite du diplomate chinois qui demandait à la voir. Hésitante. De toutes façons, elle ne risquait rien.

– Bien ! conclut-elle, je vais y aller. Il me faut quelques minutes pour me préparer.

Le directeur de la prison attendit dans le couloir que Lou Zhao remaquillée, recoiffée, sorte de la cellule. Elle avait beaucoup maigri, ne se nourrissant presque plus, et suivit comme un automate le fonctionnaire japonais.

Un homme assez mal habillé, avec des lunettes cerclées d'écaille, le visage sévère, attendait assis en face de la table scellée au milieu de la pièce. Il se leva vivement, s'inclina et prononça quelques mots de bienvenue en chinois. Lou Zhao lui répondit du bout des lèvres et demanda.

– Que voulez-vous ?

L'homme sourit légèrement.

– Dissiper un malentendu. Vous avez déclaré à nos amis japonais que vous étiez poursuivie par le Guoanbu lorsque vous avez décidé de ne pas prendre votre avion pour Tokyo et commencé une longue errance pour sortir clandestinement de Chine.

– Oui, pourquoi ?

L'homme se pencha en avant.

– Parce que ce n'est pas la vérité. *Jamais* le Guoanbu ne s'est intéressé à vous. J'ignore ce qui a pu vous le faire croire.

Lou Zhao demeura muette et le Chinois continua.

– Au contraire, vos déclarations à la police japonaise vous ont fait placer sur une liste de suspects. Vous, ainsi que votre famille.

– Ma famille ? sursauta Lou Zhao.

Le Chinois inclina onctueusement la tête.

– Oui, vos parents ont été arrêtés préventivement, au cas où il s'agirait *réellement* d'une affaire d'espionnage. Il est évident que si vous acceptez de venir vous expliquer, leur cas sera éclairci. Ils ne sont pour rien dans le meurtre de Shanghai.

Il parlait d'une voix calme, les yeux baissés, sans émotion apparente. Lou Zhao traduisait ce qu'il disait dans sa tête : le Guoanbu exerçait un chantage classique. Et il était impossible de savoir ce qu'il ferait réellement... Comme la jeune femme ne répondait pas, le secrétaire d'ambassade chinois poussa un profond soupir et se pencha pour ramasser sa serviette.

– Bien, dit-il, je transmettrai votre réponse négative.

– Attendez! lâcha Lou Zhao. Pouvez-vous me garantir que si j'accepte d'être extradée rapidement, mes parents seront remis en liberté?

– Bien sûr! répliqua avec enthousiasme le diplomate chinois. Je vous en donne ma parole. Ainsi, nous pourrons tirer toute cette affaire au clair. Bien sûr, vous êtes coupable, mais vous savez que, chez nous en Chine, le viol est un crime… Très puni. Vous serez même peut-être acquittée…

Lou Zhao lui jeta un long regard: elle savait qu'il mentait mais elle ne voulait pas le croire. Ce qui était exact c'est que ses parents se retrouvaient en prison à cause d'elle.

Le diplomate chinois avait plongé la main dans sa serviette. Il en sortit des documents en chinois et en japonais qu'il poussa vers Lou Zhao.

– Voici le formulaire de renoncement à l'appel pour votre extradition. Cela pourra être réglé très rapidement.

Le stylo en l'air, Lou Zhao posa une dernière question.

– Je veux voir mes parents dès mon retour.

– Cela va sans dire! approuva le diplomate chinois. J'enverrai des instructions dans ce sens.

Lou Zhao signa. Paraphant chaque page. Ensuite, le Chinois lui serra longuement la main et prit congé.

— Préparez-vous à revoir votre pays, dit-il, je vous accompagnerai moi-même à l'avion.

— Lou Zhao repart demain matin pour Pékin sur un vol de la China Airline, annonça d'une voix lugubre Philip Burton à Malko.

Ce dernier hocha la tête.

— Les Chinois sont vraiment très forts ! Ils nous ont baisés, ainsi que les Japonais.

L'Américain eut un sourire amer, brandissant une carte de visite.

— Regardez qui est venu négocier avec elle ! Wu Chiang, le numéro 2 du Guoanbu au Japon !

— Les Japonais le savent ?

— Bien sûr, mais ils ferment les yeux. Cette affaire les embarrasse.

Un ange traversa la pièce, pleurant de grosses larmes. Pour changer de sujet, Malko précisa.

— J'ai été rendre visite à Maïko Nabu. Elle va s'en tirer. Nous avons pu échanger quelques mots.

Le chef de Station eut un geste évasif, signifiant que le sort de la Japonaise lui était totalement indifférent, et enchaîna.

— J'ai envoyé un message à Langley. Je pense qu'ils vont vouloir vous rencontrer.

– Je ne sais pas grand-chose…

– Non, mais vous avez rencontré Lou Zhao et moi, je ne peux pas bouger de Tokyo. C'est Ted Boteler qui a réclamé votre venue : il a énormément de confiance en vous.

– Cette affaire va partir en quenouille, soupira Malko.

L'Américain secoua la tête.

– Pas sûr. Il s'agit d'une affaire tellement grave que l'Administration va peser longuement le pour et le contre avant de prendre une décision. Vous pouvez les y aider.

– Que Dieu vous entende ! Qu'allez-vous faire ?

– Je demande à la Station de Pékin de trouver un avocat pour Lou Zhao. Afin d'essayer de savoir ce qui va lui arriver. Cela pourra nous éclairer.

**

Le vol 643 des China Airlines se posa à l'heure pile sur l'aéroport international de Pékin.

Un homme attendait près de la sortie : un Chinois corpulent, Me Meng Chao Li, spécialisé dans la défense des dissidents. Il se rapprocha d'un groupe de policiers qui attendaient aussi et surveilla la sortie. L'un d'eux le connaissait et lui adressa un petit geste de la main.

L'avocat s'approcha.

– Je viens accueillir un client, le capitaine Lou Zhao. Vous savez si elle est sur le vol ?

Le policier secoua la tête, soudain réticent :

– Je l'ignore. Nous attendons quelqu'un, mais j'ignore qui.

Vingt minutes plus tard, Me Meng Chao Li vit surgir au milieu de la foule des passagers une jeune femme traînant une petite valise à roulettes, encadrée par quatre hommes, visiblement des agents du Guoanbu.

Il s'avança et exhiba sa carte d'avocat.

– Cette femme est ma cliente, annonça-t-il ; je souhaite m'entretenir avec elle.

Le policier de tête s'arrêta, surpris. Il n'avait pas d'instructions pour ce cas précis. Il fit signe à ses collègues de s'arrêter et se mit à l'écart pour téléphoner. Impossible d'approcher Lou Zhao.

Il rejoignit l'avocat quelques instants plus tard.

– Cette personne n'a pas le droit de communiquer, annonça-t-il. Adressez-vous au Ministère de la Justice pour obtenir un permis de visite.

Déjà, le groupe reprenait sa marche. L'avocat courut derrière son interlocuteur.

– Dans quel établissement l'emmenez-vous ?

– A la prison de Qincheng, lâcha le policier, indifférent.

Me Meng Chao demeura cloué sur place. Cette prison était celle réservée aux condamnés politiques. La *seule* qui ne dépende pas du Ministère de la Justice, mais du Guoanbu.

Les masques étaient tombés.

CHAPITRE XX

– Ça change tout ! déclara Leon Panetta. La Station de Pékin nous confirme que Lou Zhao a bien été internée par le Guoanbu dès son arrivée à Pékin.

» A Quicheng, la prison du Guoanbu où personne n'a accès. L'avocat que nous avons commis pour elle a tenté de la joindre mais, au Ministère de la Justice, on déclare qu'aucune personne de ce nom n'est internée. Lou Zhao est passée aux oubliettes.

Ted Boteler, soulagé, conclut.

– Cela semble prouver qu'il ne s'agit pas d'une manip ou d'une affabulation. Lou Zhao détenait bien une information de première importance : l'invasion possible de Taïwan par les forces armées chinoises.

» Donc, il n'est pas possible de faire comme si cette affaire n'existait pas.

– Je vais demander à rencontrer le « *Special Advisor for Security* » du Président, conclut Leon

Panetta. En attendant, convoquez Malko Linge. C'est tout ce qui nous reste comme fil à tirer.

— Nous continuons nos efforts à Pékin pour retrouver la trace de Lou Zhao, affirma Ted Boteler.

Sans trop d'espoir.

***

Maïko Nabu souriait, mais le cœur n'y était pas. Très pâle, allongée sur son lit d'hôpital, on lui avait enlevé ses tuyaux, à l'exception d'une perfusion, mais elle en avait encore pour pas mal de temps. Pour recevoir Malko, elle s'était maquillée et son regard brillait.

— J'ai peur de ne jamais revoir Lou ! soupira-t-elle. Je ne savais pas qu'elle faisait des choses aussi dangereuses. Et moi, je ne crains rien ?

— Honnêtement, répondit Malko, je ne crois pas. Les Chinois ont récupéré Lou Zhao, c'est tout ce qu'ils voulaient. Tu es une citoyenne japonaise et ils savent très bien que tu ne joues aucun rôle dans cette histoire. Dans peu de temps, tu sortiras d'ici et tu pourras reprendre ton travail.

— Et toi, tu restes à Tokyo ?

— Non, avoua Malko, je pars aux Etats-Unis, à Washington. Cette histoire n'est pas finie.

Une ombre de tristesse passa dans les yeux de Maïko Nabu.

— C'est dommage…

– Je reviendrai peut-être, dit Malko. Et je t'appellerai. Je pars demain matin.

Il se pencha et l'embrassa.

**

Lou Zhao entendit le jappement du jeune gardien et se hâta de se mettre sur le dos, face à la porte. A la prison de Quicheng, de Pékin, on devait *toujours* dormir de cette façon. Les gardiens, en dépit de leur jeune âge, semblaient totalement déshumanisés. Des automates qui apportaient de la nourriture trois fois par jour, du riz, des pommes de terre à l'eau avec de minuscules morceaux de viande, du thé et de l'eau… A peine arrivé, Lou Zhao avait dû changer ses vêtements contre une tenue orange avec un numéro brodé sur la poitrine.

Sa cellule de trois mètres sur un ne comportait qu'une bassine d'eau, un pot de chambre et un lit, recouvert d'un couvre-lit. Les murs étaient assez épais pour arrêter tous les bruits de l'extérieur.

Elle était là depuis deux jours seulement et cela semblait une éternité. Bien sûr, dès son arrivée, elle avait demandé des nouvelles de ses parents mais on ne lui avait même pas répondu. Il était huit heures et elle venait de se réveiller lorsque la porte de sa cellule s'ouvrit sur son jeune gardien. Il aboya.

– Debout, prisonnière 322.

Lou Zhao obéit et le gardien ajouta.

– Sortez et suivez-moi.

Ils suivirent un couloir humide et sombre pour déboucher dans un bureau aux murs nus avec un éclairage violent. Deux hommes se trouvaient autour d'une table placée au centre. Il n'y avait aucune autre ouverture que la porte.

Le gardien s'éclipsa et le plus âgé des deux hommes lui dit d'une voix posée.

– Asseyez-vous, capitaine Lou Zhao.

Elle prit place sur un tabouret, face à eux. Ils semblaient calmes, méthodiques, indifférents. Presque amicaux. Lou Zhao voulut en profiter.

– A Tokyo, l'homme qui m'a convaincu de revenir volontairement en Chine m'avait promis de me faire rencontrer mes parents, dit-elle. Où sont-ils ?

– Ils sont sous la protection du peuple, énonça un peu solennellement le plus âgé. Vous les verrez le moment venu, mais avant, il faut nous donner satisfaction.

– Sur quoi ?

– Nous devons tout apprendre sur vous. Nous allons donc vous interroger plusieurs fois de suite, afin d'être certains que vous ne dissimulez pas la vérité. Ensuite, vous serez autorisée à rencontrer vos parents.

– Ils n'ont rien fait ! protesta Lou Zhao.

– Il faut suivre la procédure, fit d'un ton sentencieux son interrogateur. Je m'appelle Yang King et nous sommes appelés à nous revoir. Acceptez-vous de parler, de répondre à nos questions ?

— Si vous voulez, fit la jeune femme, comprenant que ce n'était pas la peine de lutter.

Yang King ouvrit le gros dossier posé devant lui et leva la tête.

— Votre parcours dans l'armée semble parfait. Vous avez été deux fois championne de tir, et vos supérieurs étaient contents de vous. Seulement, vous avez donné votre démission pour faire de l'espionnage.

Lou Zhao sursauta.

Le piège avait été tendu d'une voix douce, sans élever la voix, mais elle savait ce que l'accusation d'espionnage signifiait en Chine : la peine de mort.

— Je n'ai jamais fait d'espionnage, protesta-t-elle. Rolls-Royce m'a offert un poste très bien payé de consultant à cause de mes connaissances techniques.

L'interrogateur ne discuta pas.

— Comment vous ont-ils contactée ?

— Ils ont passé une annonce dans le China Daily et dans la *Renmin Jibao*. J'y ai répondu et j'ai été engagée.

— Bien. Maintenant, parlez-moi de votre amant, le général Li Xiao Peng.

La jeune femme se troubla et protesta.

— C'est ma vie privée, il n'y a rien à dire.

Tout à coup, l'interrogateur frappa du poing sur la table brutalement et hurla.

– Vous êtes une menteuse ! Vous avez entamé une aventure avec lui pour lui extorquer des informations secrètes ! Nous le savons.

– C'est faux ! protesta Lou Zhao. Il est tombé amoureux de moi. Je ne voulais pas parce que je le trouvais trop vieux. Seulement, il a été très gentil.

L'interrogateur se rejeta en arrière et dit en détachant les mots.

– Je veux que vous me racontiez *tout* sur votre liaison, depuis le jour où vous l'avez rencontré. Tout, absolument tout. Lorsque nous aurons vérifié vos déclarations, vous serez autorisée à rencontrer vos parents. Pas avant.

Lou Zhao comprit qu'il était inutile de discuter. Son interrogateur enchaîna :

– Vous savez que de très lourdes charges pèsent contre vous. Vous avez espionné au profit des Impérialistes. C'est un crime extrêmement grave.

– Je n'ai jamais espionné ! se défendit la jeune femme.

L'interrogateur referma sèchement son dossier et dit d'une voix suave.

– Il faudra aussi que vous expliquiez comment vous avez pu quitter la Chine. Si vos réponses sont satisfaisantes, il en sera tenu compte pour l'établissement de votre peine.

Lou Zhao essaya de demeurer impassible : on allait lui demander de dénoncer l'homme qui l'avait exfiltrée. Silencieusement, elle pria pour que les Américains l'exfiltrent, lui aussi.

* *
*

La réunion se tenait dans le bureau de John Mulligan, le « *Special Advisor for Security* » du président Obama, qui avait succédé à Frank Capistrano, après avoir servi cinq présidents. Un Irlandais rouquin, massif et placide dont le jugement était reconnu par tous. Le problème était simple : le Président revenait de son voyage en Amérique du Sud deux jours plus tard. Il était indispensable de lui présenter un plan de bataille pour l'affaire Lou Zhao. Et surtout une analyse des solutions possibles.

– Qu'en pensez-vous, Leon ? demanda John Mulligan.

Les autres participants à la réunion demeuraient muets : un représentant du Pentagone, deux analystes et le patron d'un des plus brillants « Think-Tank » de Washington.

– *Well*, entama le Directeur Général de la CIA, nous avons le choix entre plusieurs solutions, toutes mauvaises.

Cela commençait bien…

– C'est-à-dire ? demanda le *Special Advisor for Security*.

Leon Panetta baissa ses yeux sur ses notes.

– Evidemment, la chose la plus facile est de poser la question aux Chinois…

Tout le monde sourit et le *Special Advisor* eut un geste de la main énergique.

– Balayons ! Inutile d'ajouter le ridicule à l'angoisse ; ils seraient trop heureux.

– La seconde solution, continua bravement Leon Panetta, est de ne rien faire. C'est évidemment un pari. S'il s'agit d'un coup de bluff, nous nous épargnerons beaucoup d'efforts. Sinon…

Un ange passa, voilé de noir.

Suavement, John Mulligan demanda.

– Vous vous sentez capable de proposer cela au président ?

– Non, avoua humblement Leon Panetta.

– Ensuite ?

– Nous pouvons considérer qu'il s'agit d'une menace sérieuse, avertir nos amis taïwanais, et, nous-même, prendre un certain nombre de dispositions préventives. Evidemment, cela risque de faire des vagues politiquement et les Chinois, s'ils ont quelque chose en tête, l'abandonneront, ne pouvant plus jouer sur l'effet de surprise.

» Cependant, c'est la solution de la prudence. Ce ne serait pas la première fausse alerte. Durant la Guerre Froide, nous en avons eu plusieurs.

– C'est jouable ! reconnut l'Irlandais. Jouable, mais coûteux et risqué politiquement. Autre chose ?

– L'Agence a quelqu'un d'extrêmement bien introduit en Chine, l'homme qui a organisé l'exfiltration de Lou Zhao. Nous pouvons lui demander d'enquêter. Seulement, nous risquons de le griller. Or, c'est un gros investissement.

– D'ailleurs, contra John Mulligan, à partir du moment où Lou Zhao est aux mains du Guoanbu, il est certain qu'elle parlera. Et qu'elle le grillera. Je pense que le mieux est de l'éloigner de la Chine pour un certain temps.

Ted Boteler ouvrit enfin la bouche.

– J'ai déjà pris mes dispositions : cet homme, dont je ne vous dirai pas le nom, est en route pour la Thaïlande. Il est sorti de Chine sans aucun problème.

– Bien, approuva John Mulligan. Nous n'avons pas tellement de bons NOCS. Tout cela ne nous donne pas la vraie solution.

– Il n'y en a qu'une, renchérit Leon Panetta : découvrir la vérité, en Chine.

– Vous pensez à la Station de Pékin ?

Leon Panetta eut un sourire teinté de tristesse.

– Non, ils n'en sont pas capables et n'ont pas les moyens de monter une enquête sérieuse : nous touchons au cœur du pouvoir, un univers complètement verrouillé. J'ai une autre idée en tête. C'est un très « long shot » avec une chance minime de réussite. Mais, au moins, nous aurons tout essayé.

– Précisez votre pensée.

– Je pense à Malko Linge.

L'Irlandais haussa un sourcil.

– Il parle chinois ?

– Non, il connaît la Chine, il a déjà travaillé là-bas plusieurs fois. Evidemment, le Guoanbu le connaît *aussi*, mais je crois que dans les circonstances présentes, il faut faire preuve d'audace. Les Chinois savent que nous sommes au courant de ce projet, vrai ou imaginaire. Ils se doutent bien que nous n'allons pas rester les deux pieds dans le même sabot. Et venir aux nouvelles.

– Comment ?

Le DG eut un geste évasif.

– Pour l'instant, je n'en ai pas la moindre idée.

John Mulligan ne semblait pas chaud.

– Je connais Malko Linge et ses grandes qualités, dit-il. Mais ce n'est pas un peu l'envoyer au massacre ?

– C'est une façon de voir les choses, reconnut Ted Boteler. Cependant, il aurait un avantage sur beaucoup d'autres.

Lorsqu'il expliqua sa pensée, il vit qu'il avait fait mouche. La raison qu'il avançait était du concret.

– Où se trouve-t-il actuellement ? demanda John Mulligan.

– En vol. Quelque part entre Tokyo et New-York. Je l'ai convoqué pour un débriefing.

– Bien, conclut le *Special Advisor for Security*, le mieux est de lui en parler et de voir si c'est faisable. Je n'aime pas les plans foireux. En plus, ce serait dommage de se priver d'un collaborateur de valeur comme le Prince Malko Linge.

Il avait prononcé le titre sans aucune ironie. A la Maison Blanche, on respectait Malko.

John Mulligan tira la conclusion de leur meeting.

— Attendons son arrivée.

CHAPITRE XXI

Malko, installé au bar de l'hôtel Willard International, son favori à Washington, bâillait à se décrocher la mâchoire. L'endroit était une véritable volière, rempli de femmes de politiciens qui jacassaient comme des pies en écluant des martinis. Lui en était à sa seconde vodka, se demandant s'il allait se coucher ou tenter de vivre encore un peu.

Épuisé par son voyage. Il ne savait plus quelle heure il était, ayant changé quatre fois de fuseaux horaires. Certes, en avion, il avait mangé et dormi, mais il se sentait dans une autre dimension. En arrivant, il avait appelé Alexandra au château de Liezen et Elko Krisantem lui avait appris que la jeune femme se trouvait à Vienne, chez des amis. Bien entendu, son portable ne marchait pas...

Ce n'était pas pour arranger l'humeur de Malko. En plus, il n'avait aucune envie de venir à Washington : il ne connaissait presque rien de l'histoire de Lou Zhao et ne voyait pas ce qu'il pouvait apporter à ses amis américains. Il avait hâte de rentrer en Europe et de reprendre une vie agréable en Autriche ; il avait déjà bien payé de sa personne. Sa blessure n'était plus qu'un long trait rougeâtre sur son flanc, mais ce n'était quand même pas un bon souvenir…

Or, le printemps était la saison idéale à Vienne et dans les châteaux de Haute Autriche.

Sa vraie vie.

Au moment où il commandait une troisième vodka, deux femmes vinrent prendre place sur les tabourets voisins. L'une était un monstre de laideur, dépassant les cent kilos ; permanentée comme une coiffeuse, grossièrement maquillée, arborant une tenue de petite fille vicieuse.

Sa copine était mieux, bien que plus toute fraîche. Une blonde apprêtée, au beau profil, bien habillée d'une robe assez courte, avec un sac Hermès en crocodile noir. Ce n'était pas une pauvresse. Les deux commandèrent, bien entendu, des vodka-martinis et se lancèrent dans une grande conversation, en criant à tue-tête. Malko sut très vite qu'elles étaient mariées à des sénateurs, que la grosse vivait dans le Minnesota et la blonde, à Houston, Texas. Et qu'elles s'ennuyaient... N'étant pas férues de culture et, d'ailleurs, la culture était pratiquement absente de la capitale fédérale ; trop âgées pour aller danser, il ne leur restait que deux distractions : la bouffe et l'alcool.

En moins d'une demi-heure, elles eurent sifflé trois vodka-martinis et ce n'étaient certainement pas

les premiers de la journée. La grosse semblait prête
à exploser. Elle se laissa glisser lourdement de son
tabouret et lança d'une voix pleine de vulgarité.

– *I gonna take a leak* [1].

Restée seule, la blonde prit une cigarette dans son
paquet, chercha dans son sac et tourna la tête vers
Malko. Elle avait les yeux d'un bleu extraordinaire,
magnifiques, bien qu'entourés de petites rides.

– *Young man* ! dit-elle avec un sourire, auriez-
vous du feu ?

En plus, elle avait de l'humour, Malko était tout,
sauf un jeune homme.

Il allongea la main vers une boîte d'allumettes
posée sur le comptoir, en prit une et alluma la cigarette de sa voisine.

– Vous en voulez une ?

– Je ne fume pas.

La grosse ne revenait toujours pas. Malko se
permit un sourire.

– Votre amie vous a abandonnée.

L'autre se rengorgea.

– Non, mais elle met toujours beaucoup de temps
à se vider.

– Vous êtes très différentes, remarqua Malko.

– En quoi ?

Il plongea son regard dans les yeux bleus de sa
voisine.

– Vous êtes *toujours* une très jolie femme, ce
n'est pas le cas de votre amie.

1. Je vais pisser !

La blonde soupira.

– Vous savez, elle vit dans le Minnesota. Là-bas, ils se nourrissent de pommes de terre. Moi, je vis à Houston et je fais attention à ma ligne.

Brusquement, elle lui tendit la main.

– Je m'appelle Elisabeth Kogan. Mon mari est sous-secrétaire d'Etat à la Défense.

La blonde enchaîna :

– Il a gagné beaucoup d'argent avec le gaz, alors, il s'amuse avec la politique. Moi, ça m'emmerde, je préfère les belles soirées.

Elle bougea sur son tabouret et décroisa les jambes. Malko aperçut de longues cuisses gainées de gris. Son regard devait être éloquent car sa voisine demanda.

– Qu'est-ce que vous regardez ? Quelque chose ne va pas ?

Toujours inquiète.

– Vos jambes, fit Malko. Elles sont très belles.

– *Well, young man*, quel est votre nom ? Vous n'êtes pas américain ?

– Je suis autrichien.

– Et vous faites quoi à Washington ?

– Business. Je suis aussi dans la défense. Comme votre mari.

– Vous vous entendriez bien, fit Elisabeth Kogan. Il est très impliqué en Afghanistan. Il pense qu'il faut se tirer…

– Il a raison, dit Malko.

Voyant qu'elle avait fini son martini, il lui en recommanda un et une vodka pour lui. La quatrième. Il avait l'impression de flotter sur un petit nuage…

Elisabeth Kogan se retourna.

– Qu'est-ce qu'elle fait ? Elle a dû rencontrer un mec.

Malko fit la moue.

– Les chances sont minces…

L'Américaine se pencha vers lui.

– Il n'y a rien dans le Minnesota, alors, quand elle vient ici, elle est comme folle ! Seulement, tous les hommes me préfèrent à elle.

Elle commençait à accuser le poids des martinis… La voix très légèrement pâteuse, elle se pencha vers Malko.

– Pourquoi on n'irait pas dîner ensemble ?

– Vous et moi ?

– Je ne peux pas la laisser…

– Je crois que je vais rester au bar, conclut Malko, la vie est trop courte.

– Qu'est-ce que vous feriez avec moi ? demanda Elisabeth Kogan, avec un peu de défi.

Malko fixa son haut transparent bien rempli sous lequel on devinait un soutien-gorge noir.

– *I will fuck you* [1] fit-il simplement.

Parfois, c'était bon de dire ce que l'on pensait… Il vit le bleu des yeux foncer légèrement, les coins

1. Je vous baiserai.

de sa bouche s'abaissèrent, puis Elisabeth Kogan
éclata de rire.

   – *Youre pulling my leg…* [1]

   – Pas vraiment, confirma Malko. Et je peux vous
le prouver.

   – Comment ?

Malko se laissa glisser de son tabouret et prit la
jeune femme par la main.

   – Laissez votre sac pour montrer à votre amie
que vous n'êtes pas partie et venez avec moi.

Il n'eut qu'à tirer très légèrement pour qu'à son
tour, l'Américaine abandonne son tabouret. Il n'y
avait qu'une trentaine de mètres pour rejoindre le
couloir desservant les chambres. Ils se retrouvèrent
devant un des ascenseurs. Ils y montèrent et Malko
appuya sur le bouton du sixième.

Elisabeth Kogan le fixait avec une expression
incrédule, mêlée de curiosité.

Elle avait dépassé le demi-siècle mais était encore
très appétissante. C'était exactement ce que Malko
cherchait pour récupérer de son long voyage.

Lorsqu'il glissa la carte magnétique dans la
serrure de la porte de sa chambre, Elisabeth Kogan
eut un léger haut-le-corps.

   – Où sommes-nous ?

   – Dans ma chambre, dit Malko. Vous ne voulez
pas baiser dans le couloir…

Il la tira vers l'intérieur et, aussitôt, la plaqua
contre le mur.

   1. Vous me faites marcher.

Elisabeth Kogan haletait légèrement, la bouche entr'ouverte. Il pouvait sentir son haleine de martini. Jusque-là, il ne l'avait pas touchée.

– Qu'est-ce que vous voulez ? murmura-t-elle.

Au lieu de répondre, Malko plaqua ses deux mains sur sa poitrine et commença à malaxer brutalement ses seins. Ils étaient encore assez fermes et leur tenue fit monter un jet d'adrénaline dans ses vaisseaux.

Elisabeth Kogan émit une sorte de gloussement étouffé, puis dit à voix basse en essayant de se dégager.

– *Please, don't do that* [1].

En baissant les yeux, il vit deux pointes prêtes à percer le tissu du chemisier. L'Américaine n'était pas indifférente. Les yeux fermés, elle se laissait faire, respirant de plus en plus vite.

Malko comprit qu'il fallait battre le fer pendant qu'il était chaud.

Il passa une main sous la jupe du tailleur et remonta directement au sexe. Effleurant la peau des cuisses découverte par les bas « stay-up ». Ensuite, il glissa quelques doigts sous le nylon, atteignit un sexe déjà ouvert et s'y enfonça. Elisabeth Kogan, d'un mouvement réflexe, écarta les cuisses au maximum de ce que sa jupe permettait.

Ce simple geste déclencha chez Malko une érection d'enfer. Jusque-là, il s'amusait avec cette bour-

1. S'il vous plaît, ne faites pas ça.

geoise qui, à Houston, ne devait pas être traitée souvent de cette façon.

Là, brusquement, il eut vraiment envie d'elle.

D'un geste précis, il descendit le zip de son pantalon, écarta le slip et sortit un sexe triomphant en dépit de la vodka et du voyage.

Miracle de l'imagination.

Il prit la main droite de l'Américaine et la posa sur le membre tendu. Aussitôt, les doigts se refermèrent sur lui pour une masturbation féroce. Elisabeth Kogan était redevenue une simple femelle, animale.

Malko n'avait pas envie de jouir de cette façon-là. Brutalement, il retourna la jeune femme face contre le mur et releva sa jupe jusqu'aux hanches. Dessous, elle portait une sorte de box-short brodé, très convenable. Il n'eut aucun mal à l'écarter. Maintenant la cambrure de ses reins de l'autre main, il tâtonna un peu et sentit la chaleur du sexe dans lequel il s'enfonça jusqu'à la garde d'un seul élan.

Elisabeth Kogan poussa un grondement sourd et son bassin se tendit encore plus. Sa voix changea.

– *Oh yeah! Go ahead! Fuck me hard!* [1]

Sa voix tremblait tandis que Malko la pilonnait sauvagement, en la tenant bien par ses hanches un peu grasses. Il ne mit pas longtemps à jouir et explosa avec un cri qu'on dut entendre dans tout l'étage.

1. Oh, oui! Vas-y. Baise-moi bien!

Lorsqu'il se retira d'elle, il crut qu'Elisabeth Kogan allait glisser le long du mur. Puis, elle se reprit et se retourna. Maintenant, ses yeux étaient bleu cobalt. Elle se tortilla un peu pour se rajuster et dit d'une voix absente.

— *Good Lord! You really did it*![1]

— Vous en doutiez? demanda Malko. Je ne vous ai pourtant pas caché mes intentions… Maintenant, venez. Votre amie va se demander où nous sommes passés.

Elle se laissa entraîner jusqu'à l'ascenseur. Malko l'examina en souriant.

— Votre maquillage est impeccable. Votre amie ne se doutera de rien…

C'est vrai, il ne l'avait même pas embrassée. Elisabeth Kogan semblait sonnée, répétant à mi voix.

— *My Lord! My Lord*!

Lorsqu'ils débouchèrent dans le bar aux oiseaux, sa copine était revenue. Elle leur jeta un regard intrigué.

— *Holy shit*![2] Où étiez-vous?

— Je faisais visiter la galerie marchande à votre amie, assura froidement Malko.

Déjà, Elisabeth Kogan avait pris son sac et se dirigeait vers les toilettes. Malko attendit qu'elle eût disparu pour poser un billet de cent dollars sur le comptoir et adresser un sourire à l'« éléphant ».

1. Mon Dieu! Vous l'avez vraiment fait!
2. Bon sang!

– Je crois que je vais aller me coucher. Votre amie m'a proposé de dîner avec vous, mais j'ai eu un très long vol. J'ai sommeil.

Sans attendre sa réponse, il se dirigea vers les ascenseurs. Ce qui évitait les palabres. En plus, il était certain que sa partenaire n'avait pas relevé le numéro de sa chambre.

A peine entré, il se jeta sous la douche. Ravi. La journée du lendemain allait être stressante. Il avait fait provision de bonne humeur. Tout en commettant une bonne action.

Il s'agissait d'une réunion impromptue du Comité Restreint de la Sécurité Nationale, dans le bureau de Zhou Yong Kang, au 14 de la rue Donchang'an. Autour de lui, se tenaient le Conseiller National de la Sécurité, Daing Bigguo et ses deux adjoints, Dai et Hu. Les quatre hommes avaient tous un contact permanent avec le président Hu Jin Tao et tranchaient dans les problèmes stratégiques intéressant la Sécurité.

– J'ai consulté attentivement les dossiers des interrogatoires de Lou Zhao, annonça Zhou Yong Kang. En dépit du professionnalisme de ses interlocuteurs, elle n'a absolument rien dit de nouveau.

– Moi, de mon côté, avoua Daing Bigguo, je n'ai rien trouvé sur le général Li Xiao Peng.

Un long silence suivit sa déclaration. Personne
n'osait reprendre la parole. Zhou Yong Kang laissa
tomber.

– Il y a un aspect que nous ne pouvons pas
négliger. Les Impérialistes sont désormais en
possession des mêmes informations que nous.
Comment vont-ils réagir ? Jusque-là, ils sont muets
et on les comprend. Ils doivent se poser les mêmes
questions que nous.

– Quelle attitude devons-nous adopter ? demanda
Dai.

Zhou Yong Kang eut un mince sourire.

– Laissons-les tirer les premiers. Je dois avoir
une réunion à ce sujet avec le Président. Nous allons
essayer de définir la meilleure ligne.

» Je n'ai pas encore les idées claires, mais je
pense qu'il y a un avantage certain pour nous dans
cette affaire, si nous savons bien jouer.

– Et Li Xiao Peng ?

– Continuez la surveillance autour de lui. Qu'il
ne s'en doute pas. Etendez les écoutes à tous ceux
susceptibles d'être impliqués dans ce projet.

» Nous nous revoyons dans une semaine.

*
* *

La poignée de main de John Mulligan était
presque trop chaleureuse. Malko venait d'arriver à
la Maison Blanche, en compagnie de Ted Boteler et

de Leon Panetta, qui étaient venus le chercher à son hôtel.

Le cérémonial était toujours le même avec des mesures de sécurité démentes, surtout pour lui, qui n'était pas citoyen américain. Heureusement, ils restaient loin du Bureau Ovale…

– Content de vous voir, lança le *Special Advisor for Security*. Vous nous avez tiré une sacrée épine du pied, la dernière fois [1].

– Merci, dit Malko.

L'Irlandais déplaça sa silhouette massive, contourna le bureau et vint s'asseoir autour de la table basse, se servant un café au passage. Il avait toujours l'air aussi placide, mais, s'il se trouvait à ce poste, c'est qu'il avait des neurones qui tournaient un peu plus vite que les autres.

– Nous avons un problème avec Pékin! laissa-t-il tomber.

Malko se permit une esquisse de sourire.

– Je m'en doute.

John Mulligan chercha son regard.

– Quelle est votre opinion? Vous avez été en contact avec cette Lou Zhao. C'est vous qui l'avez débriefée.

– Un débriefing rapide, corrigea Malko. Je n'ai pas mis les pieds en Chine et tout ce que je sais, c'est ce qu'elle m'a dit.

– Vous la croyez?

1. Voir SAS n° 178 et 179 – La bataille des S. 300.

– Jusqu'à preuve du contraire, oui. Elle était
sincère. Et, apparemment, le Guoanbu la croit aussi.
Sinon, ils n'auraient pas déployé d'énormes moyens
pour l'empêcher de sortir de Chine et, ensuite, la
récupérer. A propos, vous savez où elle se trouve
maintenant ?

Le *Special Advisor for Security* secoua la tête et
avoua :

– Non. L'avocat que nous avons commis n'arrive
pas à obtenir d'informations. En tout cas, elle n'est
pas rentrée chez elle.

– Bref, nous pouvons la croire ! conclut l'Américain. Mais est-ce qu'elle n'a pas pu être manipulée ?
Vous croyez à cette histoire d'invasion de Taïwan ?

Malko haussa les yeux au ciel.

– Je crois que vous avez plus d'éléments que moi
pour répondre à cette question, remarqua-t-il, avec
vos analystes, vos satellites et tous vos moyens.
Vous avez posé la question aux Taïwanais ?

L'Irlandais faillit sursauter.

– Sûrement pas ! Ils se mettraient à glapir dans
tous les sens et exigeraient des livraisons d'armes
qui nous mettraient en position difficile avec la
Chine.

– Est-ce qu'ils vous en auraient parlé, s'ils
savaient quelque chose ?

– Sûrement, mais le jeu consiste *justement* à ce
qu'ils ne sachent rien. Comme les maris cocus.
Evidemment, nous avons une lourde responsabilité

auprès d'eux. Si nous étions sûrs, nous serions obligés de les mettre au courant.

Leon Panetta et Ted Boteler écoutaient, muets comme des carpes.

Malko voyait bien que John Mulligan tournait autour du pot. Il passa à l'offensive.

– Et *vous*, qu'est-ce que vous pensez ?

L'Irlandais demeura silencieux quelques secondes avant de laisser tomber :

– C'est l'histoire du verre d'eau à moitié plein ou à moitié vide. Pour résumer, je n'ai aucun analyste qui puisse me donner une réponse tranchée.

» Tout est possible.

– C'est fâcheux, reconnut Malko. Que comptez-vous faire ?

Il comprit trop tard qu'il était tombé dans un piège.

– C'est pour cela que vous êtes ici, conclut le *Special Advisor for Security*. Nous devons prendre une décision rapidement et pour la prendre, il faut savoir à quoi s'en tenir.

» La vérité est à Pékin. Il faut donc aller à Pékin.

Malko ne cilla pas.

– Je crois que vous avez pas mal de monde là-bas. Votre ambassade est la plus grande de la ville et vous pouvez envoyer autant de gens que vous voulez…

L'Américain secoua la tête.

– Ce n'est pas le boulot des gens de la Station. Ils ne sont pas à la hauteur.

– Il n'y a pas qu'eux, remarqua Malko.

– Non, reconnut John Mulligan en le fixant.

Celui-ci sentit la moutarde lui monter au nez.

– Vous ne pensez quand même pas m'envoyer à Pékin ?

Le massif Irlandais secoua la tête et laissa tomber : – *It's a distinct possibility...* [1]

Malko faillit se lever et partir, mais la CIA était son employeur, sa source de revenus. Il essaya de garder son calme, au prix d'un gros effort.

– Je peux vous dire qu'il n'en est pas question ! affirma-t-il calmement. Je n'ai pas envie de terminer mes jours au *Lao-Gai*. J'ai abattu un agent du Guoanbu à Tokyo et j'en ai blessé un autre, sans parler du passé.

» Ma réponse est claire : je n'irai pas à Pékin.

1. Ce n'est pas impossible.

CHAPITRE XXII

On aurait pu couper le silence au couteau. Tout le monde regardait ailleurs. Malko, pour adopter une contenance, se servit un peu du café immonde.

Un ange voletait dans la pièce, sans savoir où aller.

Le *Special Advisor for Security* remarqua, d'une voix douce.

— Je comprends votre réticence, et, croyez que si je vous demande ce service, c'est parce que vous êtes le seul à avoir une chance même minime de ramener quelque chose.

Malko faillit s'étrangler.

— Vous plaisantez? Je ne parle pas un mot de chinois, je n'ai aucun contact à Pékin et le Guoanbu me connaît comme le loup blanc!

— Vous avez déjà travaillé sur la Chine… Avec succès.

— Exact, reconnut Malko, mais jamais *contre* la Chine.

— Vous leur avez même rendu un grand service, souligna John Mulligan.

Malko eut un sourire ironique.

– Je ne suis pas certain qu'ils m'en soient encore reconnaissants. Ce ne sont plus les mêmes gens qui sont aux affaires. Et, de toute façon, à part visiter la Grande Muraille de Chine, qu'est-ce que je peux faire ? Je n'ai aucun contact à Pékin. Pourquoi n'utilisez-vous pas l'homme qui a aidé à exfiltrer Lou Zhao ?

C'est Ted Boteler qui répondit.

– Parce que nous l'avons exfiltré. Lou Zhao étant aux mains des Chinois, elle risque de parler de lui.

» Cependant, vous vous trompez, vous *avez* un contact à Pékin. Un très bon contact même.

– Ah bon, lequel ?

– Ling Sima.

Malko demeura muet. Ling Sima était une sculpturale Chinoise de 1 m 80 qui l'avait beaucoup aidé dans plusieurs missions et avec qui il avait une aventure à épisodes. Membre du Guoanbu, elle était chargée à Bangkok de « traiter » les Triades et, particulièrement la *Sun Yee On*.

Colonel du Guoanbu, Chinoise jusqu'au bout des ongles, elle était tombée amoureuse de Malko.

– Ling Sima est à Bangkok, dit-il.

Ted Boteler sourit.

– Elle n'est plus à Bangkok, elle a regagné Pékin il y a six mois, où elle occupe un poste important au Guoanbu. Cette femme vous a rendu de nombreux services.

Malko, au bord de l'explosion, précisa froidement.

– C'est vrai, Ling Sima m'a souvent aidé, en
manipulant les Triades, mais *toujours* avec l'accord
du Guoanbu et surtout, jamais contre lui.

» Vous rêvez…

– Nous avons les coordonnées de Ling Sima,
expliqua Ted Boteler. Même le numéro d'un de ses
portables. Elle habite un très bel appartement et
conduit une grosse Hyundai. Nous ignorons par
contre où elle travaille. Elle semble vivre seule,
comme à Bangkok.

Malko s'attendait à tout sauf à cela.

Il haussa les épaules.

– Vous êtes naïfs ! Imaginons que j'obtienne un
visa pour la Chine, d'une manière ou d'une autre, ce
qui est déjà hautement improbable. Dès que je suis
à Pékin, je suis arrêté par le Guoanbu. Et adieu…

– Nous ne sommes pas naïfs, coupa Leon
Panetta. Si nous pensions que vous n'aviez aucune
chance, nous ne chercherions pas à vous envoyer
là-bas. J'ai une approche différente. Les Chinois
savent que nous possédons l'information recueillie
par Lou Zhao. Ils s'attendent à une réaction, quelle
qu'elle soit. Ils se doutent bien qu'on ne va pas
s'asseoir dessus…

» Il s'agit d'un enjeu *stratégique*. Pour eux aussi.
A l'heure actuelle, nous sommes dans le noir le plus
complet, avec un éventail d'hypothèses. Certaines

sont négatives pour la Chine. Certes, nous lui devons beaucoup d'argent, mais nous avons aussi des moyens de rétorsion. Donc, mon idée est la suivante.

» Les Chinois, et le Guoanbu en particulier, savent que vous avez « traité » Lou Zhao à Tokyo. Donc, s'ils vous voient apparaître dans le tableau, ils comprendront que nous envoyons un message. Que nous cherchons une ouverture, ou une explication.

Malko retint un ricanement.

– Et comment allez-vous monter l'opération ?

– Très simplement, dit Leon Panetta. Dans un premier temps, je vais rencontrer le patron du Guoanbu à Washington. Nous nous connaissons un peu et je lui ai fourni des informations sur le terrorisme.

» Je vais lui demander si le gouvernement chinois serait prêt à vous accorder un visa pour une mission exploratoire de la Station de Pékin.

– Et je serai arrêté à l'arrivée et mon visa annulé, continua Malko. Vous n'avez rien d'autre ?

– Attendez ! précisa Leon Panetta. Je vais lui expliquer que vous venez faire une mission d'évaluation de la Station de Pékin, comme vous l'avez fait pour d'autres Stations. Qu'il s'agit d'une mission *officielle*, demandée par le gouvernement américain. Et, qu'à ce titre, nous avons décidé de vous accorder un laisser-passer *diplomatique* qui vous met à l'abri de toute poursuite. En cas de problème, tout ce que vous risquez, c'est l'expulsion. Les Chinois sont très légitimistes. Ils ne se permettraient pas de renier ce genre de deal.

» Pendant la Guerre Froide, c'est ce qui se passait avec nos *case-officers* arrêtés par le KGB : ils étaient arrêtés, interrogés, montraient leur passeport diplomatique et étaient mis dans le premier avion. Qu'en pensez-vous ?

– C'est un conte de fées.

Le Directeur Général de la CIA sourit finement.

– Bien sûr, mais les Chinois peuvent très bien choisir de le croire, si ça les arrange.

– Pourquoi cela les arrangerait-il ?

– Ce n'est qu'une simple hypothèse, mais il est possible qu'ils craignent une réaction violente de notre part, après cette information. Ils cherchent peut-être une négociation ou un éclaircissement. Evidemment, tout cela est au conditionnel. Le Guoanbu peut parfaitement refuser et, dans ce cas, vous pourrez regagner votre cher château de Liezen.

» Acceptez-vous que je tente le coup ?

Malko eut un léger haussement d'épaules.

– Pourquoi pas, mais je n'y crois pas une seconde.

Leon Panetta sembla néanmoins soulagé et, rayonnant, proposa :

– Je vous emmène déjeuner au Hays Adams. Je sais que vous aimez bien cet endroit. Et je vous réserve une surprise.

– Hélas, ajouta John Mulligan, je ne pourrai pas me joindre à vous.

Malko accepta. Plus sceptique que jamais sur le plan de la CIA.

**

La salle à manger du Hays Adams était toujours aussi sombre et aussi cosy, avec de petits box où chuchotait tout ce que Washington comptait d'hommes politiques, accompagnés parfois de créatures sulfureuses.

On les conduisit à un box encore plus sombre que les autres, où se trouvait déjà un homme devant un verre de whisky.

– *Malko ! I am happy to see you again* [1].

La voix rocailleuse de Frank Capistrano, l'ancien *Special Advisor for Security* de la Maison Blanche pendant dix-sept ans, était chaleureuse. Malko fut sincèrement touché. Frank Capistrano avait été son ami dans un milieu où il n'y en avait pas beaucoup… Il lui serra longuement la main et, à peine était-il assis, qu'un maître d'hôtel apporta une vodka glacée.

Frank Capistrano leva son verre.

– Au passé et à notre prochain succès !

Comme Malko ne semblait pas comprendre, il précisa :

1. Malko ! Je suis content de vous revoir.

– C'est moi qui ai conseillé à mon successeur de
vous envoyer au contact. Je peux vous dire qu'il y a
eu des réticences, car donner un passeport diplomatique à un non-Américain n'est pas courant. Je leur
ai garanti que vous pourriez être nommé Américain
d'honneur, après tous les services que vous nous
avez rendus.

Malko entama sa vodka, avec des sentiments
mitigés. Ce déjeuner était un piège. Ses interlocuteurs savaient bien qu'il ne pouvait rien refuser à
Frank Capistrano. Il y avait eu trop de sang pour
sceller leur amitié. Le *Special Advisor for Security*
avait toujours demandé des choses impossibles et
Malko les avait accomplies.

Il prit le taureau par les cornes.

– Frank, vous croyez vraiment au succès de cette
mission ? Et à l'absence de risques ?

– Pour le second point, je peux vous répondre
« oui », répliqua Frank Capistrano, en entamant sa
Ceasar's Salad. Nous avons joué le coup au Pakistan
avec un de nos NOC qui a été amené à abattre deux
terroristes. Normalement, il devait être condamné à
mort à Lahore. Il a finalement été expulsé... Et les
Pakistanais sont moins respectueux des lois que les
Chinois...

» En ce qui concerne le premier point, je n'en
sais rien, sauf que c'est le moins mauvais moyen de
creuser cette affaire. Vous savez bien que je ne vous
laisserai jamais vous embarquer dans une cause
désespérée.

Malko le savait.

A son tour, il commençait à manger lorsque Frank Capistrano ajouta :

— De toutes façons, on va bien voir la réaction des Chinois. S'ils disent « non », ce sera déjà une indication et nous pourrons envisager d'autres mesures.

— Bien, conclut Malko, j'ai confiance en votre jugement. Ne gâchons pas ce déjeuner de retrouvailles. Que devenez-vous ?

— J'ai perdu quatorze kilos, annonça Frank Capistrano. Grâce à un régime sévère. Sinon, c'était la boîte en bois. Le reste a peu d'importance.

Leon Panetta avait été reçu avec tous les honneurs dus à son rang à l'ambassade de Chine à Washington, dont il était un visiteur régulier. Il lui avait quand même fallu trois jours pour obtenir ce rendez-vous, avec un certain Wang Wang, responsable officiel du Guoanbu… Le plateau de thé était sur la table, le Chinois était d'une exquise politesse et accepta avec un plaisir évident le dossier que lui apportait le Directeur Général de la CIA, sur les liens entre des extrémistes musulmans kirguises et certains leaders de la minorité chinoise musulmane, les Ouigours…

Un gros souci pour le gouvernement chinois, qui craignait plus que tout les attentats…

– Vous êtes un ami fidèle, reconnut le Chinois, vous savez que vous pouvez toujours compter sur moi…

Leon Panetta sauta sur l'occasion.

– Justement, j'ai un souci que vous pourriez m'aider à résoudre.

Dans la foulée, il lui exposa le projet lié à Malko Linge. Le Chinois l'écouta sans l'interrompre, prenant quelques notes et conclut d'un ton neutre.

– Vous savez qu'il n'est pas en mon pouvoir de régler le problème. Je vais en référer à mon gouvernement. Entre-temps, pouvez-vous me faire parvenir le CV de ce Malko Linge ?

Que, visiblement, il ne connaissait pas… Leon Panetta se permit un léger sourire.

– Beaucoup de gens de votre Service connaissent le Prince Malko Linge. Parfois en bien, parfois en moins bien…

Le responsable du Guoanbu ne releva pas et acheva sa tasse de thé, mettant fin à la réunion.

– Faites-moi porter tout cela, conclut-il. Je transmets immédiatement à Pékin. Avec un avis favorable de ma part, ajouta-t-il. Vous avez toujours été correct avec nous.

Leon Panetta remercia chaleureusement, sachant néanmoins que l'avis du Chinois ne pesait guère plus qu'une plume.

Quand il repartit pour Langley, il croisa les doigts mentalement : on allait voir ce que les Chinois avaient dans le ventre.

CHAPITRE XXIII

Lou Zhao se réveilla en sursaut. Depuis qu'elle se trouvait à la prison de Qin cheng, elle avait perdu la notion du temps. Bien entendu, on lui avait ôté sa montre et elle n'avait aucun moyen de compter les jours qui s'écoulaient.

Ses interrogatoires se poursuivaient tous les jours, mais jamais aux mêmes heures ; cela pouvait même être la nuit, entre minuit et quatre heures du matin. Toujours les mêmes questions. Ses interrogateurs revenaient sur des détails infimes, inlassablement. Quelquefois, Lou Zhao éclatait en sanglots et ils attendaient qu'elle se calme.

Elle resta les yeux ouverts dans l'obscurité : elle avait cru entendre un bruit, ce qui signifiait un nouvel interrogatoire, mais ce n'était que le cache de l'œil-de-bœuf permettant à son gardien de vérifier qu'elle dormait bien face à la porte.

Elle tenta de se rendormir, en vain. Personne n'avait pu lui dire quand sa situation changerait. Bien entendu, elle n'avait pas été autorisée à revoir ses parents, même si on lui assurait qu'ils étaient en bonne santé.

Ce n'est que deux heures plus tard que la clef tourna réellement dans la serrure.

C'était son jeune gardien au visage lisse et deux des hommes qui la tourmentaient depuis son arrivée. Automatiquement, elle se leva.

– Venez, dit un des deux hommes.

– Prenez vos affaires, ajouta le second.

Sans chercher à comprendre, Lou Zhao rassembla ce qu'elle possédait et les suivit. Pourvu qu'on la transfère dans un autre endroit, qu'elle puisse parler à des gens, bouger. Comme un robot, elle suivit les deux hommes dans le couloir mal éclairé et, arrivée dans la pièce d'interrogatoire, prit place automatiquement sur le tabouret dur qui lui faisait mal aux fesses car elle avait beaucoup maigri.

Il s'ensuivit un long silence, puis un des interrogateurs dit calmement.

– Nous avons étudié avec soin vos déclarations et nous sommes arrivés à la conclusion qu'elles sont exactes, que vous ne nous avez pas dissimulé la vérité.

» Bien sûr, cela ne vous absout pas de l'accusation d'espionnage. Nous *savons* que vous avez travaillé pour la CIA. Mais nous sommes prêts à vous proposer un accord.

– Lequel ? demanda Lou Zhao, folle d'espoir.

– Vous allez désormais travailler pour le Ministère de la Sécurité d'Etat, comme une bonne
citoyenne.

Lou Zhao n'en revenait pas.

– Mais qu'est-ce que je vais faire ?

– Ce que nous vous disons. D'abord, vous ne
mentionnez *jamais* votre séjour ici. Vous revenez
du Japon, comme c'était prévu, et votre séjour s'est
un peu prolongé parce que vous avez fait du
tourisme.

» C'est ce que vous allez dire à votre amant, le
général Li Xiao Peng. Il n'y a pas de raison qu'il ne
vous croie pas.

Cela semblait relativement facile, trop facile.
Inespéré. Pourquoi le Guoanbu prenait-il cette
mesure de clémence inattendue ? Certainement pas
par grandeur d'âme.

– Acceptez-vous ?

– Oui, bien sûr, balbutia-t-elle. C'est tout ?

– Pour le moment. Evidemment, vous ne repren-
drez pas votre travail car votre employeur sait ce
qu'il en est. Cependant, tous les matins, vous
partirez de chez vous comme si vous alliez
travailler, mais vous gagnerez l'un de nos bureaux
où vous nous écrirez ce que vous avez fait la veille.

– Bien, approuva la jeune femme.

– Venez, nous allons vous accompagner chez
vous. Avant, vous récupérez vos affaires au greffe.

Elle les suivit, ne sachant plus ce qu'elle faisait.
Elle signa machinalement un registre, reprit sa petite

valise à roulettes et son beau manteau de cuir. Ensuite, ils sortirent dans la cour et elle constata qu'il faisait toujours nuit. Une grosse limousine noire – une Audi – attendait dans la cour et elle monta à l'arrière, à côté d'un de ses interrogateurs.

Pas un mot ne fut échangé durant le trajet de près d'une heure sur des autoroutes vides. Jusqu'à ce qu'ils arrivent devant son immeuble.

– Vous avez votre « bip » ? demanda l'homme assis à côté d'elle.

Elle le trouva dans son sac et actionna la porte du garage souterrain. L'Audi se gara à côté de sa propre voiture et ils prirent l'ascenseur. Lou Zhao avait le cœur battant en mettant sa clef dans la serrure.

Elle alluma : l'appartement était comme lors de son départ, à part plusieurs paquets posés sur la table basse.

– Ce sont des cadeaux japonais pour votre amant, précisa un des hommes du Guoanbu. Nous les avons choisis selon ce que vous nous avez dit de ses goûts. Vous lui téléphonerez demain matin, en précisant que vous êtes rentrée tard ce soir.

– Je peux le voir ?

– Vous *devez* le voir. A son gré, comme vous le faisiez d'habitude. Ainsi que vos amis.

» Par contre, vous devez nous dire quelles sont les personnes que vous avez rencontrées. Nous vous dirons ce que vous devez faire.

La tête lui tournait : elle se raccrocha à son souci principal.

– Et mes parents, ils sont revenus chez eux ?

– Non, nous sommes obligés de les garder en sécurité encore quelque temps. Mais vous serez autorisée à les voir. Nous vous conduirons jusqu'à eux, à condition que vous ne leur disiez rien de notre accord.

Lou Zhao approuva de la tête. Brusquement, elle était saisie par une énorme fatigue, n'ayant qu'une idée : se coucher.

Les deux hommes lui jetèrent un long regard et l'un d'eux déposa un papier sur la table.

– Voici l'adresse où vous vous rendrez demain pour votre débriefing. Il suffira de donner ce nom.

Elle lut : Hubin Lou Jié 24. L'adresse ne lui disait rien, mais le Guoanbu avait tellement de locaux dans Pékin…

– N'oubliez pas vos consignes ! souligna le plus âgé. Si vous vous conduisez correctement, tout se terminera bien pour vous. Vous serez condamnée à une peine de principe pour votre activité anti-nationale, mais nous vous aiderons à trouver un autre job.

Autrement dit, elle devenait un agent permanent du Guoanbu. C'était une manip diabolique…

A peine la porte eut-elle claqué, qu'elle gagna sa chambre. Sans même se déshabiller, elle s'effondra sur le lit et s'endormit en chien de fusil. La première fois depuis longtemps.

***

La voix de Ted Boteler était calme, mais chaleureuse. Sans demander à Malko ce qu'il avait fait durant sa période d'inaction, il proposa.

– Si on déjeunait au Hays Adams ? Une heure ?

Il raccrocha aussitôt.

Malko décida d'y aller à pied. Il faisait beau à Washington et il avait envie d'exercice. Juste au moment où il atteignait la 16ème avenue, il vit une limousine noire stopper devant le vieil hôtel. Un homme en descendit : c'était Ted Boteler.

Après s'être débarrassé de son manteau de vigogne, il s'aventura dans la salle à manger, plongée dans la pénombre. Les Américains adoraient manger dans le noir et, si possible, dans un froid glacial, grâce à la clim.

Cela devait les endurcir.

Il longea le bar d'acajou remontant au siècle dernier, salué par un barman contemporain du bar et aperçut un bras qui s'agitait dans un des box.

Ted Boteler semblait d'excellente humeur. Il attendit que Malko ait réclamé sa vodka pour sortir un document à la couverture bleue de sa poche.

– Voici votre passeport diplomatique américain ! annonça-t-il. Il est valable six mois ; il a été établi par le *Foreign Affairs Secretairy*. Avec ce document, vous bénéficierez de la protection diplomatique de mon pays. Vous avez été enregistré à notre consulat de Pékin.

Malko ouvrit le document, découvrant sur la première page vierge un visa chinois qui tenait toute une page. La durée était spécifiée : deux mois, renouvelable. Sa photo était un peu ancienne, provenant des archives de la CIA. Il referma le document et le tendit à l'Américain qui le repoussa.

– Désormais, il ne doit plus vous quitter. C'est votre sésame. Vous voyez que j'avais raison…

Malko secoua la tête.

– Je n'arrive pas à y croire ! Qu'est-ce qui peut pousser les Chinois à vous faire ce cadeau ?

– Leur intérêt, répliqua froidement le patron de la Division des Opérations. J'avais raison : ils veulent savoir ce que nous pensons.

– Qu'est-ce que je dois faire à Pékin ?

– D'abord, vous rendre à la Station. Le COS est prévenu, bien entendu. Je vous ai fait une réservation à l'hôtel Kempinski. C'est tout à côté. Vous connaissez Pékin ?

– Oui.

– Bien. Vous ne serez pas perdu.

– En dehors des gens de la Station, qui dois-je voir ?

– Votre amie Ling Sima. D'abord. Après, je ne sais pas.

– J'espère qu'elle va bien me recevoir, soupira Malko. Elle ne s'attend sûrement pas à me voir. Et le Guoanbu ?

– Je ne compte pas sur eux pour nous aider, mais

le COS a des contacts avec ses homologues. Vous verrez.

– C'est tout ?

– Pour le moment. Vous allez à la pêche au gros. Cela prend parfois beaucoup de temps, mais si on attrape…

Malko termina sa vodka, un peu étourdi.

– Que voulez-vous savoir au juste ?

– La vérité. Les Chinois veulent-ils *vraiment* envahir Taïwan en octobre prochain ? Le Président est au courant de votre mission et il attend avec impatience vos conclusions. C'est *lui* qui prend les décisions.

» A propos, la Navy a donné l'ordre au porte-avion Entreprise de se diriger vers la Mer du Japon. Il se trouve actuellement à Honolulu. Bien entendu, les Chinois vont le savoir. C'est ce qu'on appelle un « chip » au poker. Cela va leur donner envie de vous prendre au sérieux.

» Allez, mangez votre « Porter steak », je crains que vous n'en trouviez pas à Pékin.

– J'aime beaucoup la cuisine chinoise, assura Malko, pince-sans-rire.

Cela lui faisait une drôle d'impression d'aller à Pékin, après ce qui s'était passé à Tokyo. Normalement, il encourait la peine de mort en Chine.

**

La salle à manger du Château de Liezen était
éclairée par d'énormes chandeliers d'argent à cinq
branches, qui diffusaient une lumière douce pour le
teint des femmes. Malko échangea un regard avec
Alexandra assise en face de lui. Sa fiancée s'était
faite très belle pour son retour et son bref passage à
Liezen. Une robe noire au décolleté carré, qui
moulait ses seins magnifiques et il savait que,
dessous, elle portait ce qu'il aimait.

Il était toujours étonné de la retrouver avec autant
de plaisir, en dépit de ses nombreuses aventures.
C'était une sorte de miracle. Pourtant, là, ce soir, il
avait encore envie de lui faire l'amour. C'était un
petit dîner de huit personnes et les invités partiraient
tôt.

Alexandra leva sa flûte de Taittinger Comtes de
Champagne Rosé 2004 et lança :

– Buvons à Malko qui repart pour un nouveau
voyage ! En Chine.

Tout le monde trinqua. Puis, le baba au rhum
servi, on passa dans la bibliothèque. Malko ne
pouvait quitter des yeux la cuisse de sa fiancée,
découverte par la fente de la robe. Lorsqu'il aperce-
vait fugitivement le haut d'un bas, il en avait une
bouffée de chaleur…

Il était amoureux.

Il ne retint personne lorsque les invités s'éclipsè-
rent presque en bloc.

Resté seul avec Alexandra, il s'en rapprocha et
posa la main sur sa cuisse.

– J'ai envie de toi.

La jeune femme sourit et lui serra la main.

– Moi aussi, avoua-t-elle.

Ils demeurèrent un moment silencieux, puis
échangèrent un long baiser. Quand Malko effleura
le slip de satin, la jeune femme se leva.

– Viens en haut.

Dans le hall, ils croisèrent Elko Krisantem qui
finissait de débarrasser la table.

– Je vous conduis à l'aéroport demain matin,
Ihre Hoheit ? demanda-t-il respectueusement.

Alexandra se retourna.

– *Danke vielmals* [1] Elko, je le ferai, je dois aller
à Vienne.

Ils montèrent en silence. La croupe d'Alexandra
se balançait doucement devant Malko. C'est elle qui
entra la première dans la chambre au lit en balda-
quin où des bougies brûlaient déjà. Une bouteille de
Taittinger attendait dans un seau de cristal. Elko
Krisantem pensait à tout.

Comme si elle avait une vision, Alexandra s'approcha de Malko et passa les bras autour de son cou.

– Un jour, tu ne reviendras pas, dit-elle doucement.

1. Merci beaucoup.

Malko se raidit, mal à l'aise. Cela faisait écho à ses propres craintes.

– Pourquoi dis-tu cela ?

Elle se serra un peu plus contre lui.

– Parce que je le sais. On ne sait jamais jusqu'où on peut tirer sur sa chance. Toi, tu as beaucoup tiré. Par moment, je me demande si tu n'as pas une autre femme dans ta vie pour être si souvent absent.

Malko eut un sourire teinté de mélancolie.

– Tu sais bien que non. J'ai un château à nourrir et une femme à gâter. Sans la CIA, je n'y arriverais pas.

– Je t'admire, fit Alexandra. Tu es un homme. C'est pour cela que j'ai toujours envie de toi.

Ils basculèrent sur le lit ensemble et très vite, Malko remonta jusqu'au sexe de la jeune femme.

– Je garde ma robe, fit doucement Alexandra. Comme ça, j'ai l'impression que tu me violes.

CHAPITRE XXIV

Les roues du Boeing 777 de la Lufthansa touchè-
rent le sol chinois à exactement 8 h 52. Malko
regardait le paysage plat et brumeux par son hublot,
le cœur quand même un peu serré. Il avait beau être
bardé de protections, il savait trop comment un coup
tordu pouvait arriver. Dans l'avion, il y avait surtout
des businessmen allemands et quelques Chinois.

L'étrange toit en forme de tortue du terminal 3 de
l'aéroport international de Pékin apparut, brillant
sous les premiers rayons du soleil.

Ensuite, il se retrouva dans le hall d'arrivée,
encore sous douane. Les gens faisaient sagement la
queue, Chinois et étrangers, devant les quarante
guichets, surmontés d'une immense fresque de la
Muraille de Chine. Il aperçut une file annonçant
« diplomatic passeports » en anglais et en chinois et
s'y dirigea. Ils n'étaient que trois. Lorsque son tour
arriva, il tendit à un policier chinois impassible, en
tenue bleue, le document remis par Ted Boteler. Le
Chinois le posa à plat devant lui, tapa sur son ordi-

nateur, tamponna le document et le remit à Malko
sans un mot.

Cela marchait.

La douane fut franchie rapidement et il gagna le
hall des arrivées. Repérant très vite des hommes en
noir, mêlés à la foule, un talkie-walkie accroché à
l'épaule. Le regard perçant. D'autres policiers en
uniforme bleu étaient répartis un peu partout. Tout
était en ordre, les gens faisaient la queue sagement,
le hall semblait sortir d'une enveloppe plastique tant
il était propre.

C'était la Chine nouvelle.

Moderne et férocement quadrillée par les forces
de l'ordre. Même la taille des chiens était codifiée :
il était interdit d'avoir de gros chiens…

Malko se dirigeait vers la sortie lorsqu'il aperçut
un homme brandissant un panneau affichant son
nom. Il se dirigea vers lui et le jeune homme
s'empara aussitôt de sa Samsonite.

– Je m'appelle Mac Millan, dit-il. Le COS Al
Snyder, m'a demandé de vous conduire à l'hôtel
Kempinski. Il vous attend pour déjeuner.

Malko le suivit dans un escalator, jusqu'à un long
couloir abritant une file de taxis, tous au bas-de-
caisse jaune. Une Ford noire attendait un peu plus
loin, sous la garde d'un policier en bleu.

Ils démarrèrent aussitôt et gagnèrent une autoroute déjà encombrée. Des voitures japonaises,
coréennes ou allemandes.

Le jeune Américain remarqua.

– Ici, la circulation est effroyable; il y a long-temps que les Chinois ne vont plus en bicyclette…

– Il n'y en a plus du tout?

– Si, pour les pauvres. Mais, aujourd'hui, dès qu'un Chinois a les moyens, il s'achète une voiture. Prenez patience, il y en a pour une heure à cette heure-ci.

Pékin semblait énorme, des autoroutes immenses qui s'enchevêtraient, des immeubles gris, carrés, alignés comme des clapiers avec, souvent, d'énormes numéros inscrits sur leurs murs pour les identifier.

Une ville immense, plate, aux croisements tous semblables. On aurait dit une cité du Middle West américaine, à la puissance cent…

– Nous venons de franchir le troisième périphérique, annonça le *case-officer*. Il y en a cinq! Si vous voulez vivre bien, il faut se trouver à l'intérieur du troisième.

Une longue Audi noire, avec un gyrophare sur le toit, les doubla avec un coup de klaxon discordant, se faufilant à travers la circulation.

– Un gros apparatchik… fit le jeune homme. Ils ont tous des Audi 8 chassis long.

A chaque carrefour, un policier en bleu, casquette, walkie-talkie sur l'épaule, réglait la circulation, juché sur une petite plate-forme, au milieu du carrefour, utilisant parfois un haut-parleur. Tout respirait une discipline presque étouffante.

– Comment circule-t-on à Pékin? demanda Malko.

– Les taxis. Il y en a beaucoup et ils ne sont pas chers. Une longue course, c'est cent yuans. Hélas, ils ne parlent que chinois. Il faut avoir l'adresse en chinois, sinon…

Ils débouchèrent sur une place dominée, sur la droite, d'un bâtiment majestueux.

– Voilà le German Center, continua le jeune Américain, le bureau de la Lufthansa, celui des voitures Maybach, la brasserie munichoise Paulaner, tout cela au rez-de-chaussée du Kempinski. J'espère que vous aimerez…

Un long dais blanc avançait très loin, en face de l'entrée de l'hôtel.

Le sol du lobby était en marbre. A droite Malko aperçut un bar tout en longueur, entouré de glaces. Tout dégageait une impression de luxe froid très allemand.

Le lobby dégageait une impression de luxe, avec un très long bar au fond, une moquette épaisse. Un équipage de la Lufthansa s'agglutinait à la réception à gauche.

Un Chinois, en habit traditionnel, nettoyait avec soin la grande porte vitrée.

Tandis que Malko faisait la queue à la réception, le jeune *case officer* se pencha à son oreille.

– Faites attention dans votre chambre, il y a *forcément* des micros et peut-être plus. Les Chinois sont incorrigibles et bien organisés. OK, je vous laisse. Voulez-vous que je vienne vous chercher ou vous prenez un taxi ?

– Je vais prendre un taxi.

– Alors, voilà l'adresse de l'ambassade en chinois.

Il lui tendit une carte avec l'adresse en anglais d'un côté et en chinois de l'autre.

Les employés de la réception parlaient parfaitement anglais et Malko se retrouva dans une chambre spacieuse en un clin d'œil. Par contre, il n'y avait personne pour monter les valises.

Il s'allongea après avoir pris une douche. Les onze heures de voyage étaient éprouvantes et, surtout, il se demandait ce qu'il allait faire. Bien sûr, il possédait un numéro pour Ling Sima, mais comment allait-elle l'accueillir ? Et surtout, qu'allait-il lui demander ?

Il n'avait toujours pas répondu à la question lorsqu'il descendit et changea de l'argent pour des yuans. Il monta dans le premier taxi stationné devant l'hôtel et montra au chauffeur la carte de l'ambassade.

Le Chinois démarra immédiatement. Le taxi était plein de pubs, surtout pour des cliniques de rajeunissement. Cela semblait une obsession des Chinois.

Le trajet fut très court.

*
* *

Malko ne vit d'abord qu'un mur de béton beige de plus de quatre mètres de haut, puis un écriteau indiquant « South Gate ». L'entrée de l'ambassade américaine se trouvait dans An Jia Lou south.

Plusieurs policiers veillaient à l'extérieur. La police militaire chinoise. Malko se présenta à l'entrée, gardée par des vigiles chinois.

Le poste de garde vérifia qu'il était bien sur sa liste et lui fit déposer son passeport et son portable. Aucun appareil électronique n'était autorisé à l'intérieur de l'ambassade. Enfin, il put pénétrer dans l'ambassade proprement dite. Un petit hall en verre blindé qui devait faire dix centimètres d'épaisseur, gardé par un marine. Malko lui tendit le papier remis au poste de garde, certifiant qu'il était attendu et que la personne qu'il venait voir était bien là pour l'accueillir. Cela vérifié, un autre marine le prit en charge pour le mener au building principal.

Curieusement, cet endroit ultra sécurisé ressemblait à un musée d'Art Moderne !

Une énorme statue abstraite de Jeff Koons trônait au milieu d'un lac artificiel, tout était contemporain.

Un jeune homme l'attendait dans le hall.

– Je vous conduis au bureau de M. Snyder, annonça-t-il.

Il appuya sur le bouton du quatrième. L'ascenseur était tellement silencieux qu'il semblait ne pas se déplacer.

Al Snyder était petit, un peu chauve, sec comme une trique, mais souriant.

– Il y a un contretemps, annonça-t-il d'emblée. Notre ambassadeur tient à déjeuner avec vous. Nous

nous verrons ensuite. Je vais vous faire conduire à sa résidence.

Le jeune homme qui avait accueilli Malko attendait dans le couloir. Ils reprirent l'ascenseur jusqu'au sous-sol pour monter dans une Chevrolet grise, émergeant ensuite dans le parc de l'ambassade.

A côté des bâtiments modernes, Malko remarqua des constructions classiques, ressemblant à des *Hu-Tongs* chinois. Clin d'œil à l'environnement.

– Tout est neuf, ici ? remarqua-t-il.

Le jeune *case-officer* approuva.

– *Right*. Cette nouvelle ambassade a été inaugurée pour les jeux Olympiques, il y a deux ans. Entièrement construite par des ouvriers américains. Par sécurité, nous n'employons aucun Chinois à l'ambassade.

– Et ceux de l'entrée ?

– Ce ne sont pas des Chinois mais des citoyens américains d'origine chinoise… D'ailleurs, ici, tout vient des Etats-Unis, même nos stylos.

La confiance régnait.

– Nous allons dans le quartier de San Li Tun, expliqua l'agent de la CIA. C'est là que se trouvent la plupart des ambassades et où se trouvait l'ancienne de chez nous.

Il ralentit et s'arrêta devant un van Dodge grillagé avec une plaque chinoise. Aussitôt, un policier armé s'approcha d'eux, arborant des épaulettes rouges. Le jeune Américain exhiba sa carte et on les laissa passer.

– Ce sont des militaires qui nous « protègent »,
expliqua le jeune homme.

La résidence était plutôt austère, en pierres grises,
deux étages, un perron modeste. Tandis qu'ils le
montaient, le jeune Américain glissa timidement à
Malko.

– Ne jurez pas en présence de l'ambassadeur,
c'est un Mormon, *très* conservateur.

Ils traversèrent un petit hall donnant sur un salon
meublé de style californien, avec des tableaux naïfs
aux murs. Un homme assis sur un canapé déplia une
silhouette de près de deux mètres. Il était long
comme un jour sans pain, sec, le visage ascétique,
le regard sévère et la bouche mince. On n'avait pas
envie de partir en vacances avec lui…

Il tendit une main sèche à Malko.

– John Huntsman. Heureux de vous accueillir…
J'espère que vous aimerez la Chine.

– Je la connais déjà, répondit Malko.

Avec son blazer croisé bleu, il se sentait presque
en tenue de vacances, à côté de l'austère costume
rayé gris sur noir de l'ambassadeur. Celui-ci
demanda aussitôt.

– Vous parlez chinois ?

– Hélas non, et vous ?

– Je le parle. C'est mon second séjour et je l'ai
étudié au Nevada. C'est une langue passionnante.
Vous allez avoir du mal à vous débrouiller ici, juste
avec l'anglais. Les seuls Chinois qui le parlent sont

les businessmen et ceux qu'on envoie au contact avec nous…

Au moins, c'était explicite.

Le diplomate considérait Malko avec un mépris poli. Ça commençait bien…

Un marine attendait. L'ambassadeur commanda un jus de tomate et Malko en fit autant. On était dans le sobre.

Le silence pesant fut rompu par John Huntsman.

– Je ne suis pas au courant de la raison qui vous amène à Pékin, dit-il, mais on m'a dit de vous traiter avec beaucoup d'égards, ajouta-t-il avec un brin d'ironie.

– Je ne suis malheureusement pas autorisé à vous le dire, répliqua Malko. Vous savez que je suis ici à la demande de Langley.

– Cela n'a pas d'importance, je ne sais pas si je serai en mesure de vous aider, répliqua le diplomate.

– En deux séjours, remarqua Malko, vous avez dû en apprendre beaucoup sur le fonctionnement du système chinois. Votre opinion est précieuse.

L'ambassadeur esquissa un sourire mormon, c'est-à-dire froid et retenu.

– Dans ce pays, expliqua-t-il, c'est le Parti qui commande tout. Hélas, personne ne connaît exactement son système de décision. On ne voit qu'une fois par an les treize hommes qui composent le Bureau Politique. Pour la plupart du temps, des inconnus.

» Seulement, ce ne sont que des marionnettes.

– Hu Jin Tao aussi est une marionnette ?

– Une marionnette de bonne qualité. Mais il sait déjà qu'il va laisser sa place en 2012. Ici, il n'y a pas de place officiellement pour les carrières personnelles. Tout est opaque, dissimulé.

– Mais le Parti a bien des représentants ?

– Le Parti, c'est comme Dieu, il est partout et nulle part. On ne le voit jamais, mais il est tout-puissant et omniprésent. Vous ne pouvez pas monter une affaire s'il n'y a pas un membre du Parti dans le *Board*. Toujours discret et efficace. Mais qui sait demander ce qu'il veut.

» Toute la Chine est tenue dans ce filet invisible.

– Je comprends, approuva Malko, mais ce Parti a des chefs, des responsables. Comment prennent-ils leurs décisions ?

Pour la première fois, John Huntsman sourit vraiment.

– Si je le savais, je serais Secrétaire d'Etat aux Affaires Etrangères de mon pays. Tout est complètement opaque et corrompu. Ce n'est qu'à la lumière d'un scandale qu'on découvre des morceaux de vérité. N'oubliez pas qu'ici c'est le marxisme-léninisme poussé à son extrême. Il n'y a ni élections ni transparence. On ne sait pas vraiment qui tire les ficelles.

» Comme il n'y a pas non plus de système judiciaire, cela ne facilite pas les choses.

» Le Parti se repose sur le Ministère de la Sécurité d'Etat et l'Armée. Là aussi, il y a tellement d'interpénétrations qu'une chatte n'y retrouverait pas ses petits. L'armée est partout, appliquant le principe de Deng Tsiao Ping : enrichissez-vous.

» A n'importe quel prix. Il y a deux Chine : la côte et Pékin avec des milliardaires-requins qui amassent des fortunes rapidement, et puis la Chine paysanne et ouvrière, qui trime et vit dans des conditions précaires. Chez nous, aux Etats-Unis, on accuse les patrons de Wall-Mart de traiter mal leurs employés. Les Chinois tueraient père et mère pour travailler chez Wall-Mart ! Ah, oui, j'oubliais : pour les pauvres, il n'y a pas non plus de droit de propriété. Les autorités détruisent des rues entières de *hu-tongs* pour construire des gratte-ciel, sans même indemniser leurs occupants qui vivent là depuis toujours. Et, s'ils protestent, la police les arrête et les bat…

– Et ils ne se révoltent pas ? s'étonna Malko.

L'ambassadeur termina son jus de tomate et laissa tomber.

– Ils ont peur. De la police, du Guoanbu, et du *Lao-Gai*, le système concentrationnaire chinois. Les dirigeants d'ici sont géniaux : ils n'ont gardé du communisme que l'appareil de Sécurité, en le perfectionnant. Lénine les applaudirait des deux mains.

» Simplement, maintenant, il y a des communistes riches. En réalité, le communisme est mort avec Deng Tsiao Ping. Il n'y a plus d'idéologie en dépit des « grand-messes » de la place Tien An Men. Simplement des managers intelligents qui ont domestiqué un peuple industrieux et courageux. Comme il y a la carotte de la richesse, ils acceptent.

Il déplia sa longue silhouette et se dirigea vers la table avec un coup d'œil sur sa montre.

– Je dois recevoir les Indiens tout à l'heure, dit-il. Pour essayer de les calmer en Afghanistan.

Ils se mirent à table, face à face. Les yeux baissés, John Huntsman croisa les mains, baissa la tête et murmura une courte prière, terminant en disant.

– C'est Dieu qui dirige tout cela. Nous ne devons pas l'oublier.

Déjà, un jeune marine apportait une soupière : de la jardinière de légumes. Malko la goûta et demanda d'un ton banal.

– Vous qui êtes ici depuis longtemps, que pensez-vous de Taïwan ?

Pour la première fois, le regard de l'ambassadeur s'alluma.

– C'est une question très intéressante, reconnut-il. Très intéressante. D'ailleurs, j'en parle souvent le dimanche avec les vieux Chinois du parc Ritan avec qui je joue au cerf-volant. Des gens très sympathiques.

» Vous vous intéressez à cette question ?

– Un peu, dit Malko.

– *Well*, fit l'ambassadeur, j'ai mes idées là-dessus.

CHAPITRE XXV

L'ambassadeur des Etats-Unis entama son « *Rack of lamb* »[1] un verre d'eau devant lui. Malko, poli, en fit autant, négligeant le bordeaux offert par le marine de service.

Lorsqu'il eut terminé son agneau, John Huntsman fixa Malko.

– Je joue au cerf-volant tous les dimanches avec de vieux Chinois, expliqua-t-il. Ceux-là ont connu la Révolution Culturelle et tous ses avatars. Ils ne se sont pas enrichis dans l'immobilier et continuent à vivre dans leurs *hu-tongs* sans confort.

– Ils vous parlent de Taïwan ?

– Pas régulièrement, mais, pour les communistes de cette génération, Taïwan reste une plaie. Ce sont des idéalistes, qui détestent le Kuomintang qui s'est réfugié à Taïwan et pensent que la Chine devrait être une et indivisible. Je suis le seul étranger à qui ils parlent parce que nous nous exprimons en

1. Selle d'agneau.

chinois. Or, il y a encore beaucoup de gens comme eux en Chine.

– Ils n'ont pas de poids politique, objecta Malko, ce n'est pas un Parti.

– C'est vrai, reconnut l'ambassadeur, mais ils sont des millions à penser la même chose. J'ai beaucoup voyagé en Chine et entendu le même discours chez des gens d'un niveau bien supérieur. Il ne faut pas oublier que les Chinois sont d'un nationalisme pointilleux. A leurs yeux, Taïwan ce sont les Impérialistes du Kuomintang.

– Ce n'est pas l'avis de Hu Jin Tao.

John Huntsman sourit.

– Hu Jin Tao n'a pas d'avis. Il obéit. Le Parti a décidé qu'il fallait s'enrichir, il pousse dans cette direction. Mais, dans un an, il ne sera plus rien.

– Et le Parti, interrogea Malko, quel est son avis sur Taïwan ?

L'Américain eut un geste évasif.

– Personne ne sait rien. Comme je vous l'ai dit, le Parti, c'est Dieu, une entité vague, toute-puissante et omniprésente. Mais on ne sait même pas qui prend *vraiment* les décisions. Et puis, il y a l'armée. Je sais, par certaines sources, que des militaires haut-placés voudraient régler la question de Taïwan, de façon à ce que la Chine puisse voguer vers un avenir radieux, sans ce boulet. Mais d'autres Chinois se moquent éperdument de Taïwan.

– Une action contre l'île, stopperait net la progression économique de la Chine, remarqua Malko.

L'ambassadeur fit la moue.

– Ce n'est pas certain, s'il s'agit d'une « blitz-krieg ». Qui se soucie de Taïwan, à part les Américains, pour des raisons historiques et les Japonais ? Le reste du monde s'en moque. Le calcul de ceux qui souhaitent une intervention est que les Etats-Unis sont trop endettés vis-à-vis de la Chine pour pouvoir faire grand-chose.

» Vous savez bien que la politique du fait accompli règne partout.

Il but encore un peu d'eau, puis demanda :

– Un café ?

Le menu était spartiate.

– Avec plaisir, accepta Malko. Vous avez fait suivre vos réflexions au *State Department* ?

L'Américain haussa les épaules.

– A quoi bon ? Ils ne les liraient même pas. Ce que je peux vous dire c'est qu'aujourd'hui, les liens des Etats-Unis avec la Chine sont beaucoup plus forts que ceux avec Taïwan. Un boulet que l'Amérique traîne depuis la fin de la Seconde Guerre mondiale.

Les cafés arrivèrent avec une célérité digne d'éloge. Visiblement, l'ambassadeur n'aimait pas perdre son temps. Cinq minutes plus tard, Malko se retrouva sur le perron, presque sans s'en apercevoir. Son « chauffeur » se précipita aussitôt.

– Je dois vous reconduire à l'ambassade. M. Al
Snyder vous attend.

***

Le bureau de Al Snyder donnait sur la statue de
Jeff Koons. Malko dut accepter un second café, tout
aussi mauvais que celui de l'ambassadeur. L'Américain le dévisageait avec curiosité.

– Je connais la raison de votre venue, dit-il.
Votre tâche va être très, très difficile.

– Que pensez-vous de Taïwan, vous-même ?

L'Américain eut un geste évasif.

– Rien. On n'en parle jamais. Langley m'a
demandé d'enquêter, mais auprès de qui ? Nous
avons très peu de sources fiables, et jamais à un
niveau élevé. Ici, tout est possible. Nous découvrons
les choses après coup et les Chinois n'en font qu'à
leur tête. L'élément le plus intéressant qui pourrait
leur faire sauter le pas est le fait qu'ils soient désormais riches.

– Pourquoi ?

– Ils ont longtemps été pauvres, inférieurs et
colonisés, ce dont ils ont beaucoup souffert.
Aujourd'hui, la richesse leur donne de l'audace et
un sentiment d'impunité. Nous avons beau nous
rouler par terre pour demander un réévaluation du
yuan, ils s'en moquent. Ils veulent redevenir une
grande puissance. Une aventure militaire ne serait
pas mauvaise pour leur image de marque.

» Enfin, je vous souhaite bonne chance.

– C'est vous qui avez fourni à Langley les coordonnées de Ling Sima ? demanda Malko.

– Oui, grâce à des amis chinois, mais j'ignore ce qu'elle fait depuis qu'elle est revenue à Pékin. Vous allez la voir ?

– C'est à peu près tout ce que j'ai à faire, avoua Malko, et j'ignore comment elle va m'accueillir. Ce n'est pas quelqu'un de facile...

– *Keep me posted* [1] demanda le chef de Station et soyez prudent. Je connais votre statut privilégié, mais avec les Chinois, il faut se méfier.

Le numéro de Ling Sima passait immédiatement sur messagerie ; Malko avait « balayé », à différents moments de la journée, et il se résolut à laisser un message, disant où il se trouvait et demandant à rencontrer la Chinoise.

A cause du décalage horaire, il n'avait pas faim. Aussi, après avoir bu une vodka au bar du Kempinski, il partit se coucher. Il y avait CNN, BBC, les chaînes japonaises et, bien entendu, les chinoises.

Il s'endormit sans même s'en rendre compte.

C'est le téléphone de l'hôtel qui le réveilla. La réception.

1. Tenez-moi au courant.

– Il y a un pli pour vous, annonça le réception-
niste. Je vous le monte ou vous descendez ?

– Je descends, dit Malko, qui avait envie d'un
breakfast.

A la réception, on lui tendit un mot en chinois
qu'il se fit traduire.

– C'est quelqu'un qui vous attend à cet hôtel, le
Wangfu. Aujourd'hui à midi.

– C'est loin ?

– Oui, assez, mais si vous donnez ce mot au taxi,
il vous y amènera. C'est un des plus vieux hôtels
traditionnels de Pékin. Il n'en reste que trois ou
quatre.

Le pli ne pouvait venir que de Ling Sima.

Malko avait l'impression d'avoir fait le tour de la
ville, et ignorait complètement où il se trouvait.
Enfin, le chauffeur de taxi stoppa devant un bâtiment assez modeste, de la taille d'un gros hôtel
particulier, dans un quartier moins touché que le
reste de la ville par les démolitions. Il abandonna
70 yuans au chauffeur, ce qui signifiait qu'il était
loin du centre.

Une grande porte battante donnait accès à ce qui
n'avait pas l'air d'un hôtel. Malko la poussa et se
retrouva dans une grande cour carrée, avec un arbre
planté au milieu. Tout autour, des galeries desser-

vaient des chambres. Cela semblait mal entretenu et désert.

Pas trace de Ling Simâ.

Il fit le tour et entr'ouvrit une des portes, découvrant une chambre à l'ancienne, assez bien décorée, totalement chinoise. Il y faisait un froid glacial. Le confort n'était pas au rendez-vous. Il ressortit, aperçut dans un bureau vitré une Chinoise qui le vit aussi, mais ne fit pas un geste.

Il se dirigea vers elle et elle leva un regard interrogateur.

– J'ai rendez-vous ici, annonça Malko en anglais.

La Chinoise demeura figée et fit signe qu'elle ne comprenait pas, avant de se replonger dans un registre. Comme si Malko n'avait pas existé.

Etrange ambiance. On aurait pu se croire revenu deux siècles en arrière…

Ne sachant que faire, Malko s'assit sur un banc, au pied de l'arbre au tronc tordu. Il était pile à l'heure.

Une demi-heure s'écoula.

Sans voir personne… A croire que l'endroit était abandonné. Malko commençait à se poser des questions lorsqu'il entendit un bruit de bottes à l'extérieur, frappant les pavés de bois du trottoir.

Quelques secondes plus tard, la double porte battante, un peu comme celle d'un saloon au Far-West, s'écarta violemment, pour laisser passer une silhouette tout en noir.

Il faillit ne pas reconnaître Ling Sima, ayant oublié qu'elle avait autant d'allure.

La Chinoise était entièrement vêtue de cuir noir, un blouson long et un pantalon très ajusté descendant jusqu'à ses bottes à hauts talons, sur un manteau, également en cuir noir.

Comme une furie, elle marcha sur Malko, s'arrêta à un mètre de lui et jeta :

– Qu'est-ce que tu fous à Pékin ?

Ses traits étaient crispés par la rage, ses yeux lançaient littéralement des éclairs.

Elle était magnifique.

Malko n'eut pas le temps de répondre à sa question. D'une voix coupante comme un rasoir, Ling Sima lui lança :

– Tu vas reprendre l'avion demain. Et c'est moi qui vais t'y conduire.

Elle ne semblait pas plaisanter *du tout*. Malko se leva. Avec ses talons, elle était aussi grande que lui. Il se dit que la CIA, qui comptait sur Ling Sima pour l'aider dans son enquête, s'était probablement mis le doigt dans l'œil.

Il avait du mal à croire qu'elle avait été sa maîtresse quand il voyait cette furie qui se retenait de lui sauter à la gorge.

Son enquête à Pékin risquait d'être terminée avant d'avoir commencé. Il ne saurait jamais la vérité sur l'opération « Dragon Rouge ».

Commandez
sur le Net :

toutes nos collections

habituelles

SAS

BRIGADE MONDAINE   L'EXECUTEUR

POLICE DES MOEURS

BLADE...

LE CERCLE POCHE

EN TAPANT

WWW.EDITIONSGDV.COM

Gérard de Villiers

PRÉSENTE

BRIGADE MONDAINE

Par Michel

LA GARCE
DU 69

VAUVENARGUES

«TOUTE RESSEMBLANCE AVEC DES
PERSONNES EXISTANTES...»

PRIX TTC : 6,10 €

Gérard de Villiers

PRÉSENTE

BRIGADE MONDAINE

Par Michel Brice

L'IDÉE FIXE D'OPHÉLIE

VAUVENARGUES

«TOUTE RESSEMBLANCE AVEC DES PERSONNES EXISTANTES...»

PRIX TTC : 6,10 €

LE DERNIER SAS EST PARU...

LE MAÎTRE DES HIRONDELLES

*Les hirondelles, ce sont
des espionnes russes ! Un réseau
implanté aux États Unis...*

JAMAIS LA VÉRITÉ
N'A ÉTÉ AUSSI PROCHE